Kurt Rosenwinkel trio
East Coast Love Affair
Guitar Transcriptions

Transcribed by Brandon Bernstein and Matthew Warnock

カート・ローゼンウィンケル
イースト・コースト・ラヴ・アフェア
ギター・ソロ・トランスクリプション

Printed in Japan

ATN, inc.

楽譜分析：*Matthew Warnock*
編集：*Matthew Warnock*、*Jon Bremen*、*Ariel Alexander*
レイアウト＆デザイン：*Holly Holmes*、*Matthew Warnock*

楽譜はすべてギター用に書かれており、実音は記譜音より１オクターヴ低くなります。

もくじ

*Brandon Bernstein*について

14才でギターを学び始めた*Brandon Bernstein*は、バークリー音楽大学在学中、18才でジャズとインプロヴィゼイションの魅力に目覚めました。1学期をバークリーで過ごしたのちカナダのモントリオールに渡り、4年間ジャズを学び、2003年Concordia UniversityにてJazz Performance学士号を取得しています。

Concordia Universityでの学習を終えると、University of Louisvilleでティーチング・アシスタントの大学院生として全額奨学金を取得しました。2005年、同大学でJazz Performanceの修士号を得て、修了後はUniversity of Southern Californiaのティーチング・アシスタント制度を受け、2008年秋に博士過程を修了しました。

*Brandon*は、Just Jazz Guitar誌とJazz Improv誌に連載をもち、新作CDのレビューを寄稿するなど、ライターとしての顔ももっています。ジャズ教育界への多くの貢献のなかでも特に高い評価を受けたのは、2006年マレーシアのクアラルンプールで開催されたISME(International Society of Music Education Conference)での、音楽教育の展望についてのレクチャーでしょう。各方面からの要望を受けて2008年にイタリアで再度講演した際には、クリエイティヴなプロセスを教育の現場に取り入れる方法について講演しました。

ギタリストとして、*Brandon*はさまざまな有名アーティストに師事し、共演を果たしてきました。*Larry Koonse*、*Pat Kelley*、*Bruce Forman*、*Adam Del Monte*、*Delfeayo Marsalis*、*Craig Wagner*、*Terrell Stafford*、*Frank Potenza*、*Roddy Ellias*、*Greg Amirault*、*Jack Wilkins*、*Gene Bertoncini*、*Ben Monder*、*Charles Ellison*、*John LaBarbera*、*Matt Otto*、*Tim Pleasant*、*Jimmy Wyble*、*John Goldsby*、*Harry Pickens*、*Remi Bolduc*、*Sid Jacobs*、*Walter Smith*、*Kate Reid*、*Ambrose Akinmusire*、*Sam Minaie*、*Ochion Jewell*、*Mark Ferber*。*Brandon*のデビュー・アルバムSolitudeは、2008年秋に発売されています。

*Brandon*は現在、Cypress Collegeの非常勤講師としてジャズ・ギターを指導しています。現役のジャズ・ギタリストとしても、LAを拠点に精力的にステージに立っています。

愛用のギターはRoger Borys B-120（ハンドメイド・アーチトップ）と、Paul McGillのハンドメイド・ナイロン・ギター（Super Ace）です。弦はThomastik-Infeld、アンプはClarus 1RをRaezer Edgeスピーカーに繋いでいます。

*Brandon*と妻*Jessica Weinhold*は、現在カリフォルニア州パサディナ在住。彼の最新情報はwww.brandon-bernstein.comで見ることができます。

*Matthew Warnock*について

*Matt Warnock*は、16才でRoyal Conservatory of Musicに入学し、クラシック・ギターを学び始めました。1998年にモントリオールに移ると専攻をジャズ・スタディに変更し、2003年McGill Universityのジャズ・ギター・パフォーマンス学科で音楽学学士号（BMUS）を取得。McGill Universityを卒業後にWestern Michigan Universityでティーチング・アシスタント制度の全額奨学金を取得すると、2005年にジャズ・パフォーマンスの音楽学修士号（MMUS）を修了しました。音楽理論も併せて専攻しています。

2008年、*Matt*はUniversity of Illinoisでジャズ・パフォーマンスの音楽学博士号を修了。作曲も同時に専攻した3年間では、大学生、修士、博士課程の大学院生に対してジャズ・ギター・レッスンを行い、ジャズ・ギター・アンサンブルの指導を担当しました。

*Matt Warnock*は、現在Western Illinois Universityのギター科の教授で、ジャズとクラシックの応用レッスン、ギター・アンサンブルの指導、Hopper Faculty Jazztetでの演奏などに携わっています。Interlochen Arts Campでも教鞭を執り、ジャズ・ギター・レッスン、ジャズ・インプロヴィゼイション、ジャズ・リズム・セクション・セミナー、ジャズ・リズム・セクションの歴史、ジャズ・ギター・アンサンブルの指導をしています。

*Matt*は指導と演奏のかたわら、Just Jazz Guitar誌、Modern Guitar誌、Jazz Guitar Gazette誌、Jazz Guitar Life誌などにレッスンやレビュー、記事などの寄稿をしています。フリーランス・ライターとしてアメリカの音楽出版社Hal Leonardと契約しており、MusicEdMagic.com の スタッフ・ライターも務めています。

*Kurt Rosenwinkel*について

*Kurt*は、1970年フィラデルフィアの音楽一家に生まれました。*Beatles*のアルバムSgt. Pepper's Lonely Hearts Club Bandを耳にした彼は12才でギターを手に取り、演奏を始めました。*Kurt*とジャズとの最初の出会いは、高校時代に地元のジャズ専門ラジオ局から流れる曲を聴いたことでした。これをきっかけに*Kurt*はバークリー音楽大学への進学を決め、1988年に入学。1991年にヴァイブ奏者*Gary Burton*のグループに加入するまでをバークリー音大で過ごしました。華々しいスタートを切ったあとも*Paul Motian*、*Mark Turner*、*Seamus Blake*、*Brian Blade*、*Tim Hagans*など、著名 なジャズ・ミュージシャンとの共演やレコーディングを重ね現在に至ります。1991年にNYに拠点を移して以降は、最先端のシーンが繰り広げられるマンハッタンで頭角を表し、まもなく有名ジャズクラブSmall'sなどで日常的にパフォーマンスをするようになりました。彼の革新的なプレイ・スタイルが各方面から注目を集め、1995年にはNational Endowment for the ArtsのComposers Awardを受賞しました。2001年には名門Verveレコードと契約し、ツアーで世界中を回りながら意欲的な作品を多数リリースしています。現在*Kurt*は家族とともにベルリンに在住し、Jazz Institutギター学部の学部長を務めてい ます。

アルバムEast Coast Love Affairについて

East Coast Love Affairは1996年の7月10日から7月24日にかけて、ニューヨークの名門ジャズクラブSmall'sで録音されました。*Kurt Rosenwinkel*(ギター)、*Jorge Rossy*(ドラムス)、*Avishai Cohen*(ベース) の3人をフィーチャーしています。この作品はピアニスト*Brad Mehldau*などの若い才能をいち早く見出すことで知られるスペインのジャズ・レーベルFresh Sound New Talentからリリースされました。アルバ ムは3人のプレイヤーが創り出す自然発生的なサウンドを作品に反映するため、ライヴ・セッティングで録音されています。収録曲はスタンダード6曲とオリジナル2曲(East Coast Love AffairとB Blues)の8曲です(本書に収録された曲順は、CDの収録曲の順番とは異なっています)。これまでの偉大なジャズ・ミュージシャンがそうであったように、スタンダード曲はそのプレイヤーの真価が問われるものです。この作品では若かりし*Kurt*がアーティストとして各曲をどのように解釈し、独自のスタイルを芽吹かせるに至ったかを聴くことができる絶好の機会といえます。

*Kurt*の使用ギターと機材

*Kurt*は近年、Moffa、ES-335などのギターを持ち替えているようですが、D'AngelicoのNyss-3を使用することが多いようです。アンプやペダルも、録音当時はPolytone Mini-Brute、LexiconのデジタルリヴァーブLXP-1、RATのディストーションなどでしたが、現在は大きく様変わりしています。詳しくは翻訳を担ったイシイタカユキのブログhttp://ameblo.jp/fellowship/内の「*Kurt Rosenwinkel*機材紹介」のページを参照してください。

*Kurt Rosenwinkel*ディスコグラフィー

Kurt Rosenwinkel & OJM - Our Secret World (Wommusic, 2010)
Kurt Rosenwinkel Standards Trio - Reflections (Wommusic, 2009)
The Remedy: Live at the Village Vanguard (Wommusic, 2008)
Deep Song (Verve, 2005)
Heartcore (Verve, 2003)
The Next Step (Verve, 2001)
The Enemies of Energy (Verve, 2000)
Intuit (Criss Cross, 1998)
East Coast Love Affair (Fresh Sound New Talent, 1996)

はじめに

読者のみなさまへ

たぐいまれな才能をもつ*Kurt Rosenwinkel*の音楽へのサポートと、その作品に関する本書を執筆できたことを心より感謝します。本書を通じてたくさんのことを楽しんで学んでいただければ幸いです。

初めに、本書の構成と楽譜の表記法について少しお話ししておきます。目次を見るとわかりますが、実際のCDと本書の曲順は異なっています。これは学習において、簡単なものから始め、徐々に難易度を上げて行くほうが、本書を教育的に活用するにも、あなたの学習においても、より有効だと判断したことからです。

記譜法においては、ヨーロッパ音楽の伝統より、アメリカのジャズのシステムに基づき、キー、臨時記号ともにできる限り♭(フラット)を使用しています。しかしながら、楽譜を読むだけでなく、分析する、という観点から、コードが♯(シャープ)系ならばソロもそれに合わせたり、場合によってはラインの読みやすさを優先して選択しています。

*Kurt*の、モダン・ジャズやギター界への数えきれないほどの貢献に感謝します。本書は、彼の芸術的な想像力なしには生まれなかったでしょう。

カート・ローゼンウィンケル
オリジナル曲集
KURT ROSENWINKEL
COMPOSITIONS
ATN, inc.
MEL BAY

Improvisation No.1の分析

この曲のソロにおける*Kurt*は、１つのアイディアを使ってどこまでいけるか、というすばらしい例を示しています。64小節中で40小節もの間、コード･ソロのアイディアを使っています。これは、ハーモニーに対してシングル･ラインでプレイすることが一般的なモダン･ジャズのギター･スタイルとしては、とてもめずらしいことでしょう。ソロの大部分においてコードが使われているにもかかわらず、*Kurt*の巧みなリズムと熟成したメロディックなセンスでリスナーを飽きさせません。

このソロでは大きく分けて３つのハーモニック･コンセプトが使われています。１つめのハーモニック･コンセプトはトライアドです。ソロの前半では多くのクローズド･トライアドが見られるでしょう。また、12と25小節めではスプレッド･ヴォイシングも使われています。トライアドはそのままでも十分よいサウンドなのですが、*Kurt*はそれらを他のコードに対して使うことで、よりおもしろいサウンドに仕立てています。

*Kurt*はトラディショナルな１－３－５トライアドを、控えめながら効果的に活用しています。16、32、37、39小節めでは、これらのトライアドが決して退屈なサウンドには聴こえないはずです。それは、31、32小節めのようなモティーフやリズミック･ディベロップメント、34から40小節めにかけての印象的なメロディとの組合わせなどを見れば納得できるでしょう。

また、２、４、９、25、31小節めと、34小節め（add 11th）では、各コードの3rd、5th、7thを使った３－５－７トライアドが見られます。これにより、トライアドをプレイしながらも7thコードを表現でき、また、ベーシストのルート音への干渉を避けることができます。ルートの代わりに他の音を入れるなどの応用も可能です。

21、35、38、40、46～48、54小節めでは、使用するスケール･ノートから取り出したトライアドをプレイしています。これらはほとんどの場合ダイアトニック上のトライアドですが、ノン･ダイアトニックの場合も、トップ･ノートはスケール上から選んだり、メロディ的に繋がりがよくなるよう工夫されています。

２つめのハーモニック･コンセプトは、シェル･ヴォシング（shell voicing）として知られるもので、４音のコード･ヴォイシング（7thコード）から１音（5thのことが多い）だけ省略して創ることから、省略コードとも呼ばれます。省略されることでスペースが生まれますが、それでもコードのクオリティーは保たれています。*Kurt*はこれを14小節め（Dm7の１－３－７）と15小節め（C♯m7の１－３－７）でプレイしています。このサウンドはピアノ的ですが、ギターのフレットボード上でも押さえやすいでしょう。ギタリストから学ぶことは数多くありますが、世界的なギタリストは、ピアニストからもたくさんのアイディアを得ています。

３つめのハーモニック･コンセプトは、4thヴォイシング（クォータル･ヴォイシング）です。*Kurt*はこのソロでも利用していますが、これは、ジャズ･ピアノの世界ではとても一般的な手法です。26、33、48、50小節めを見てみましょう。4thヴォイシングはとてもオープンなサウンド（開放的な響き）があり、クローズド･トライアドやシェル･ヴォシングのサウンドとのコントラストが明確でとても効果的です。

この曲における*Kurt*のインプロヴィゼイションは、最初はシンプルに感じられますが、、楽譜をよく読んで分析してみると、それはとても美しく、知的なソロであるとわかるでしょう。熟成したハーモニック･センスとモティーフの発展を活かした彼のプレイが、あらゆる場面で見て取れるはずです。*Kurt*は、最後に、 私が今まで聴いてきた中で最高のフレーズでソロを終えています。もちろんこのフレーズは心地よいだけでなく、モティーフが活かされています。

Improvisation No.1

Little White Liesのコード・チェンジによる
カート・ローゼンウィンケルのソロ

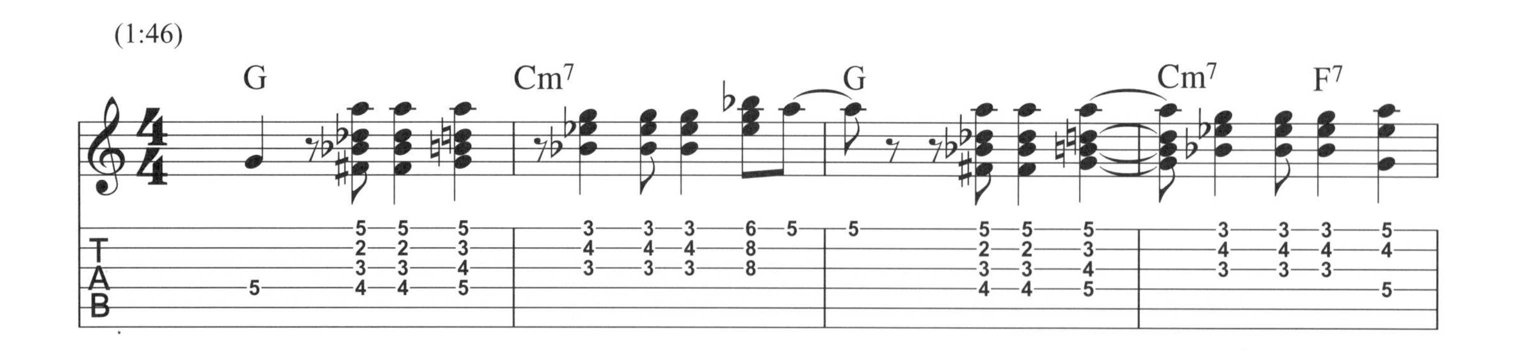

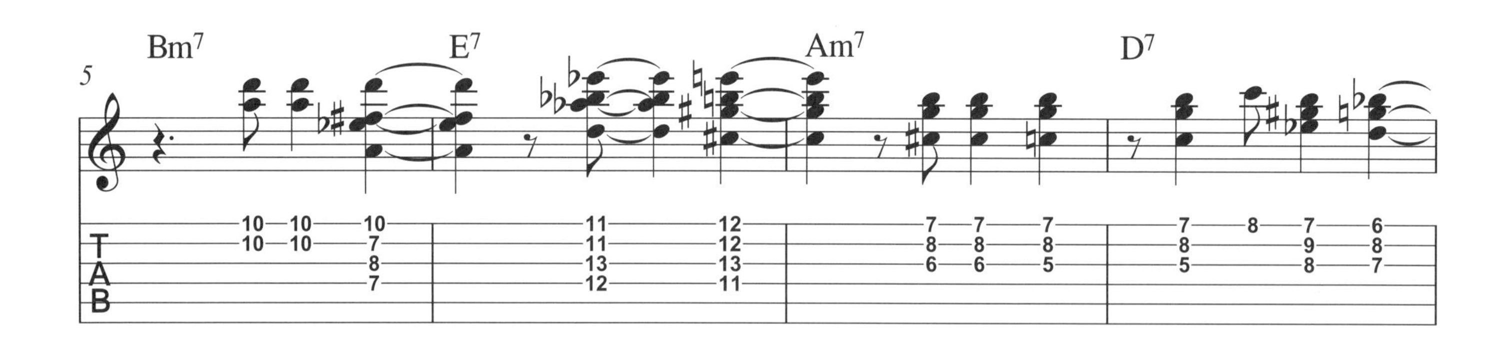

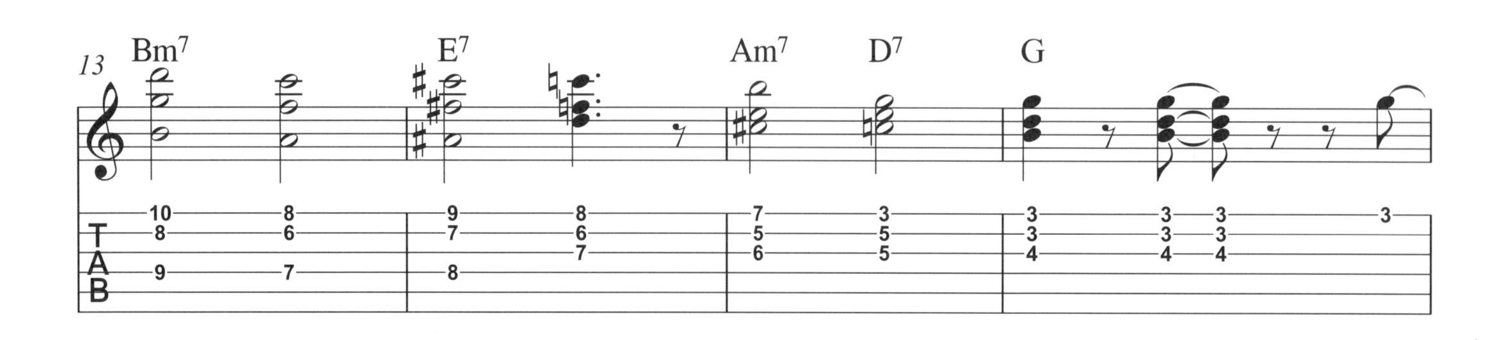

17
F♯m7
B7
E
C♯7
F♯m7
B7
G
TAB

21
A7
Am7
D7/A
TAB

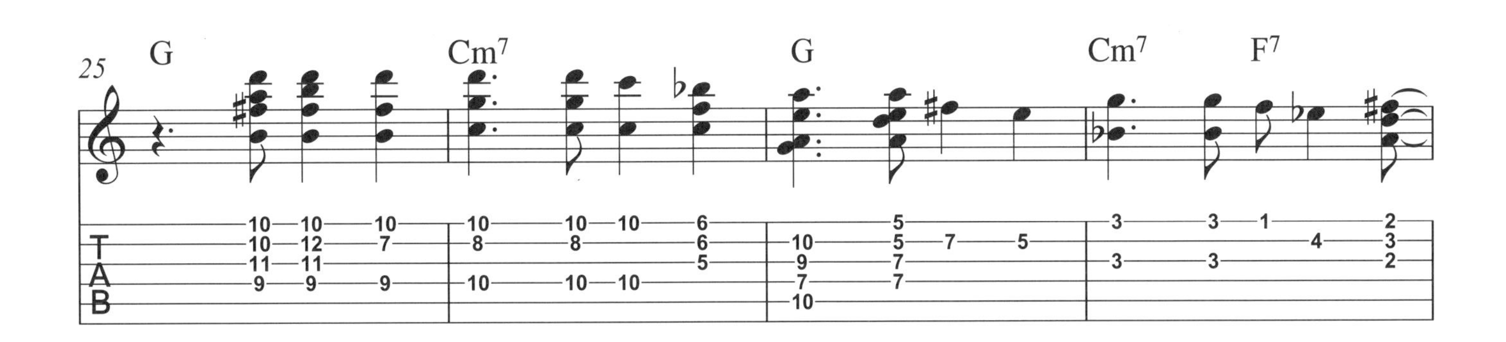
25
G
Cm7
G
Cm7
F7
TAB

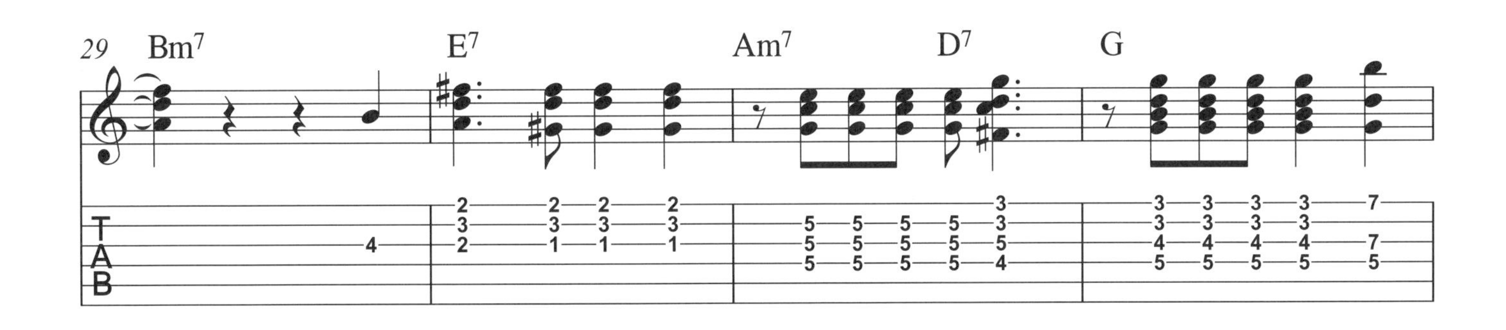
29
Bm7
E7
Am7
D7
G
TAB

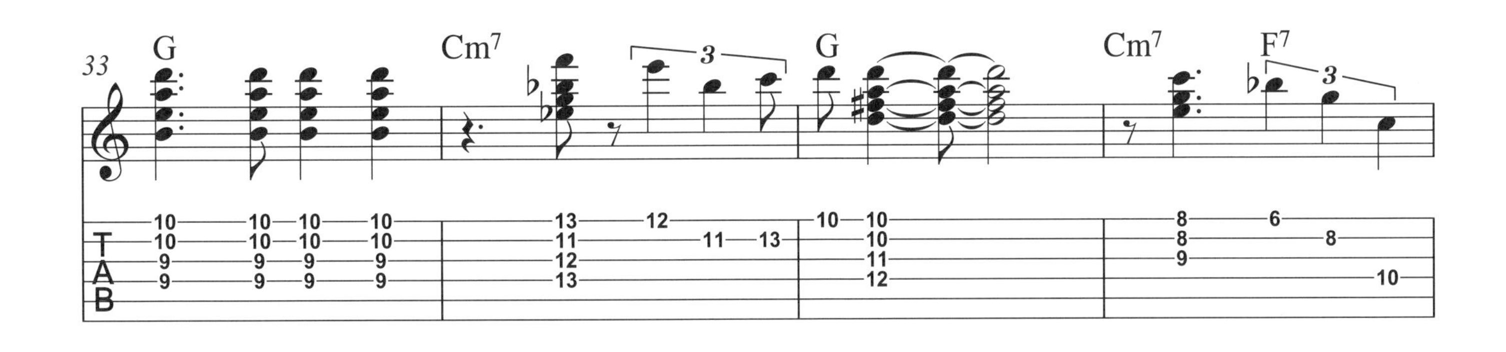
33
G
Cm7
G
Cm7
F7
TAB

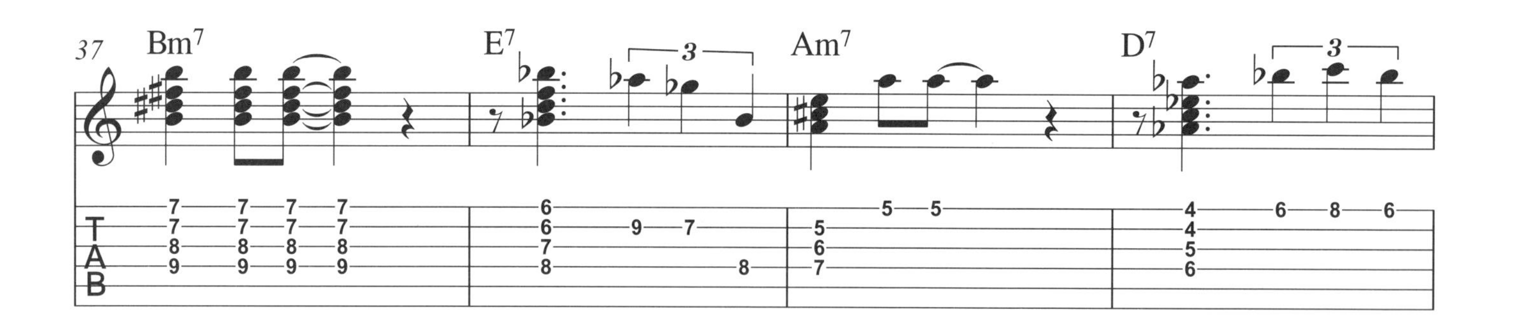
37
Bm7
E7
Am7
D7

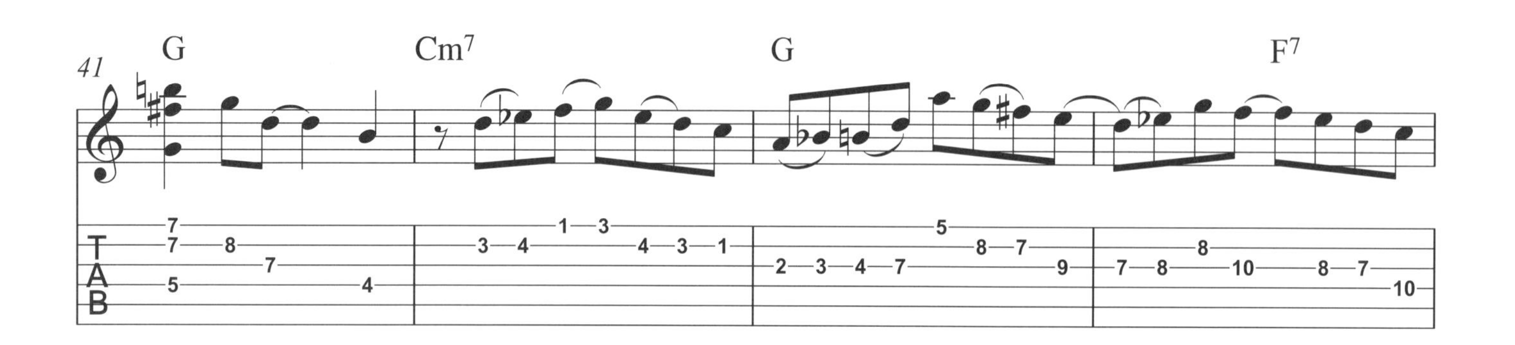
41
G
Cm7
G
F7

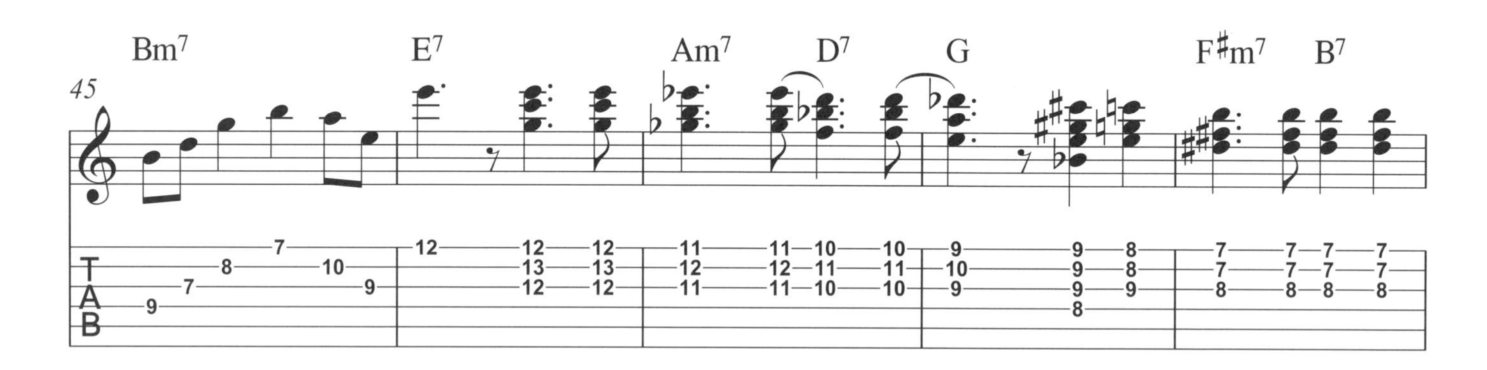
45
Bm7
E7
Am7
D7
G
F#m7
B7

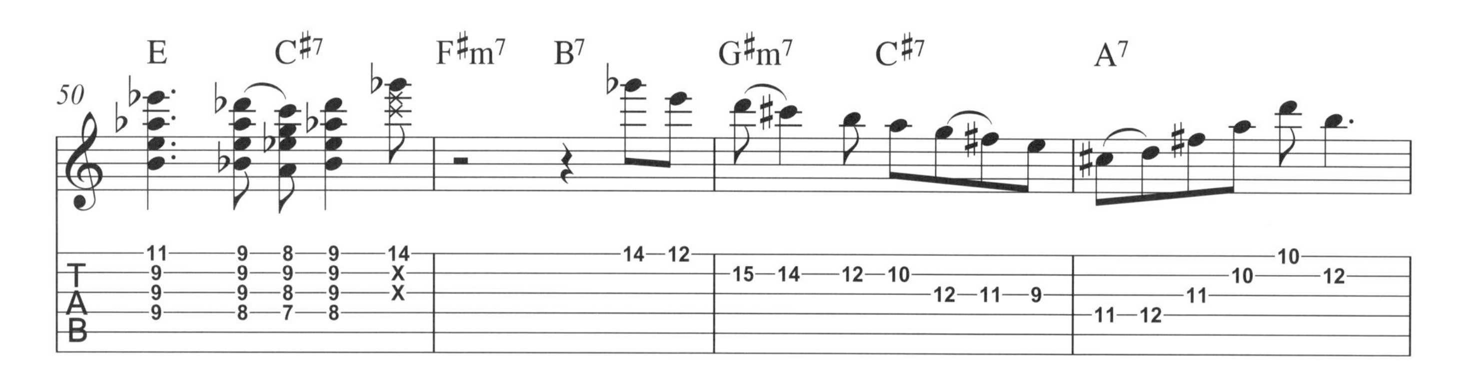
50
E
C#7
F#m7
B7
G#m7
C#7
A7

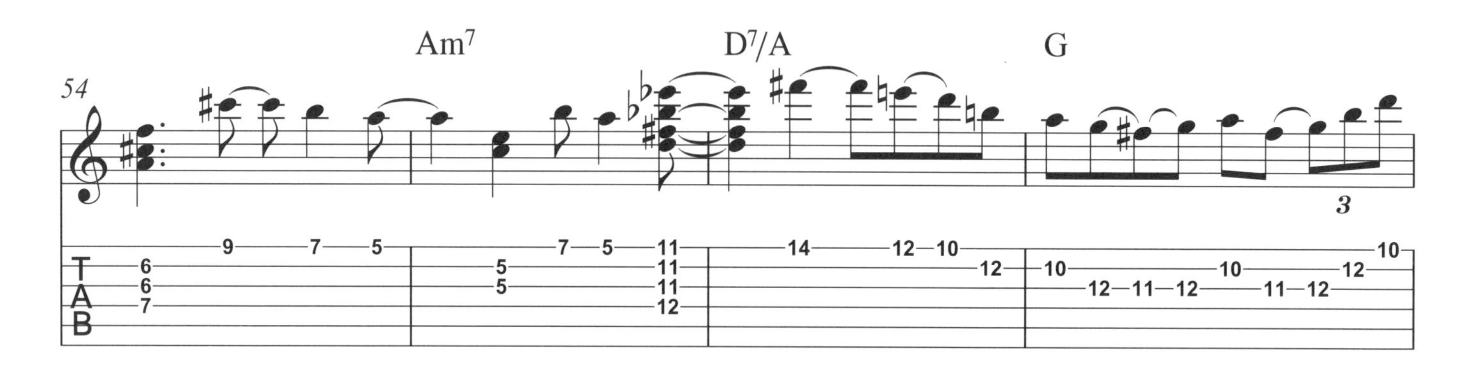
54
Am7
D7/A
G

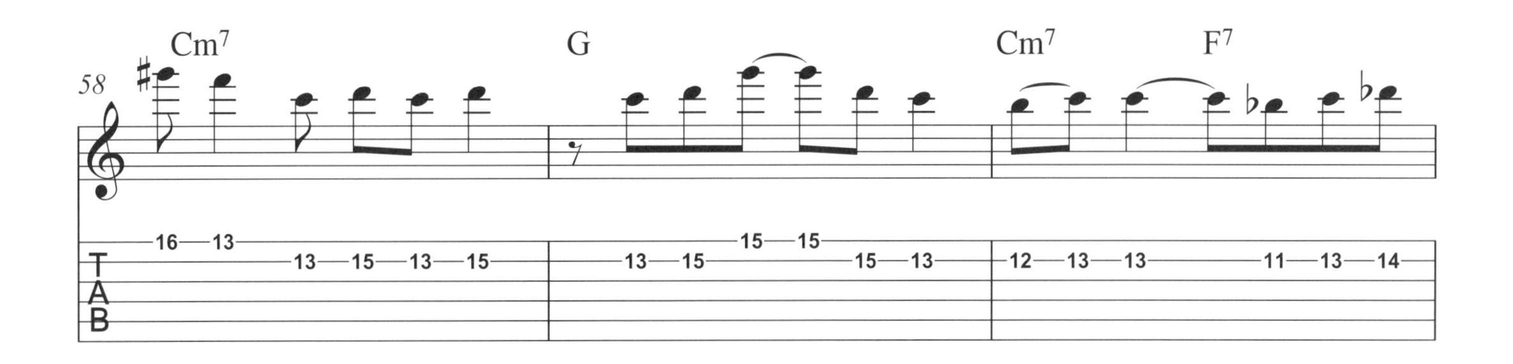
58
Cm7
G
Cm7
F7
T
A
B
16
13
13
15
13
15
13
15
15
15
15
13
12
13
13
11
13
14

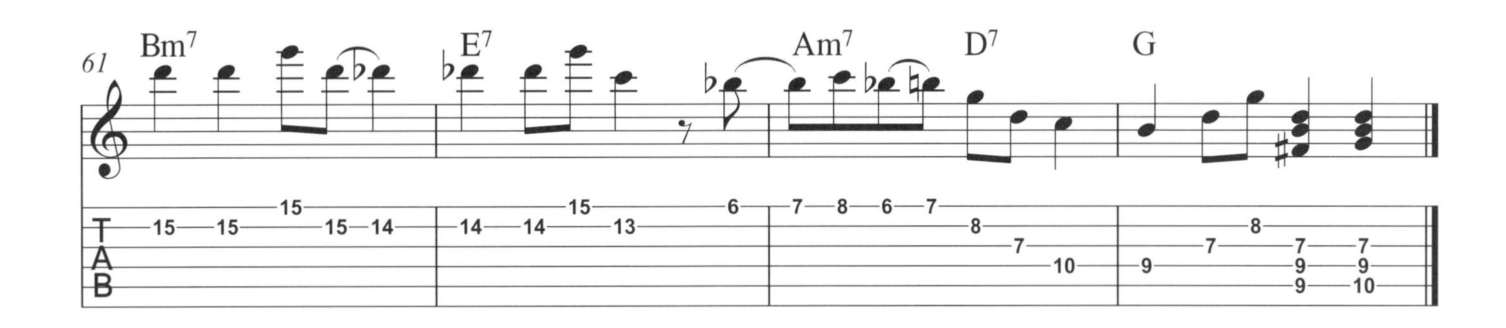
61
Bm7
E7
Am7
D7
G
T
A
B
15
15
15
15
14
14
14
15
13
6
7
8
6
7
8
7
10
9
7
8
7
9
9
7
9
10

Improvisation No.2の分析

*Kurt*の演奏においてもっとも重要な要素の１つに、モティーフの発展があげられます。それはこのソロでも強調され、１～３小節めのフレーズでも確認できます。ここでは、４分音符と８分音符からなる下行形のスケールを使いながら、パッシング・コードを織り交ぜています。次の４～６小節めでは、前のフレーズに対して、リズムを装飾しながら、上行形のフレーズを用いて応答しています。その後も49～53小節めでオリジナル・アイディアを忘れることなく、同じモティーフを使っています。ここでは３度と４度のインターヴァルのトライアドと２音ヴォイシングでハーモナイズしています。１つのモティーフを発展させたり、そのアイディアをソロの間、さまざまな形で使い続けることからも、*Kurt*のインプロヴァイザーとしての成熟がうかがえます。

29～31小節めと46～48小節めでも違うモティーフを演奏しています。１つめは29～31小節めで、トップ・ノートが固定された２声でソプラノ・ペダルにボトムが半音で下行しています。２つめは46～48小節めで、リープするインターヴァルとリズムがモティーフを創り出しています。どちらも最初のアイディア提示にすばやく反応していますが、１つめではG音を加えたクロマティック・ラインでリズムを変化させ、２つめではE7の下行するアルペジオ（Eトライアド）を弾くことでラインを解決し、次のフレーズへの仕切りを明確にしています。

このソロでの*Kurt*の音の選び方はかなりスタンダードなもので、アウトサイドの音はほとんど見受けられません。あえてあげるならば、マイナー・コードに対して使われるメジャー7thの音でしょう。これは*Kurt*がビバップを学んできた証であり、彼のデビュー・アルバムIntuitでも聴くことができます。マイナー・コードに対するメジャー7thは、トニック・マイナー（i）においては、むしろ♭7thよりも好まれています。これは１、２、３、11、17、18、19、53小節めでも聴くことができますが、iコードだけでなくivコードでも使用され、どちらもメロディック・マイナーのサウンドを表現しています。

*Kurt*は、またメロディとしてもハーモニーとしてもトライアドを有効に利用しています。２、３小節めではAマイナーとG#マイナー、５小節めでもAマイナーがメロディックに利用され、これにより、ソロのラインが複雑になりすぎないようになっています。トライアドを使って、メロディックにソロを表現する参考になるでしょう。

メロディとしてのトライアドだけでなく、コードとしてのトライアドの使用法も見てみましょう。９、14、49、53、55から58、60、64小節めでは、トライアドがソロの合間に入れるコンピングとして使われていて、*Kurt*が一般的なギターのコンピングよりも、ピアノのヴォイシングを研究していたことがうかがえるでしょう。38、43、60、62小節めの4thヴォイシング、７、27、41小節めの3rdと7thのヴォイシングなどと比較しても、トライアドがよいコントラストをつけていることに気づくでしょう。また、21、25、26、29小節めではトライアドの一部を使ってコンピングしています。

全体的には基本的なコンセプトを使ったソロですが、シンプルなアイディアをどのようによりよい音楽へと発展させるか、という好例でしょう。トライアド、3rdと7thのヴォイシング、モティーフ、これらを使って*Kurt*が創り上げたソロは、歌いやすく、憶えやすく、学習者にとってよい題材になるでしょう。

Improvisation No.2

All or Nothing at Allのコード·チェンジによる
カート·ローゼンウィンケルのソロ

(1:43)

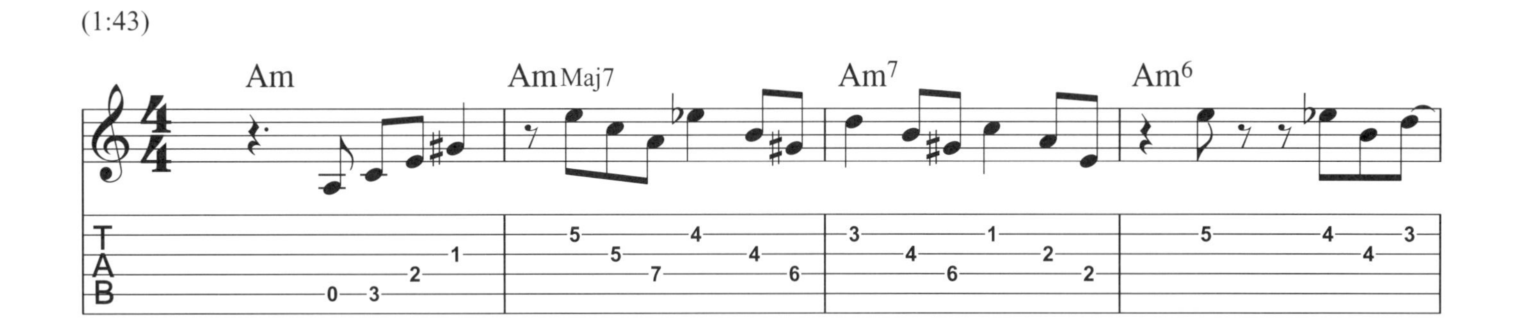

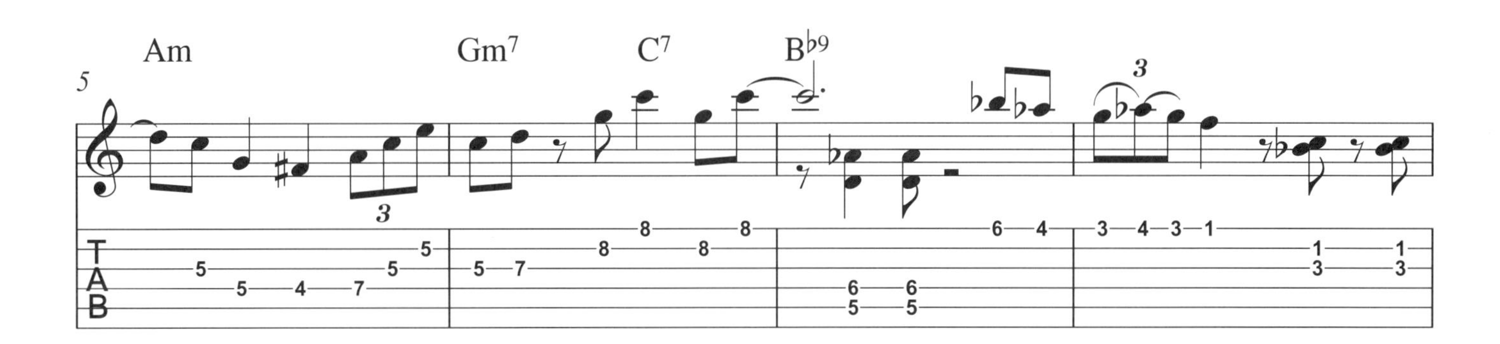

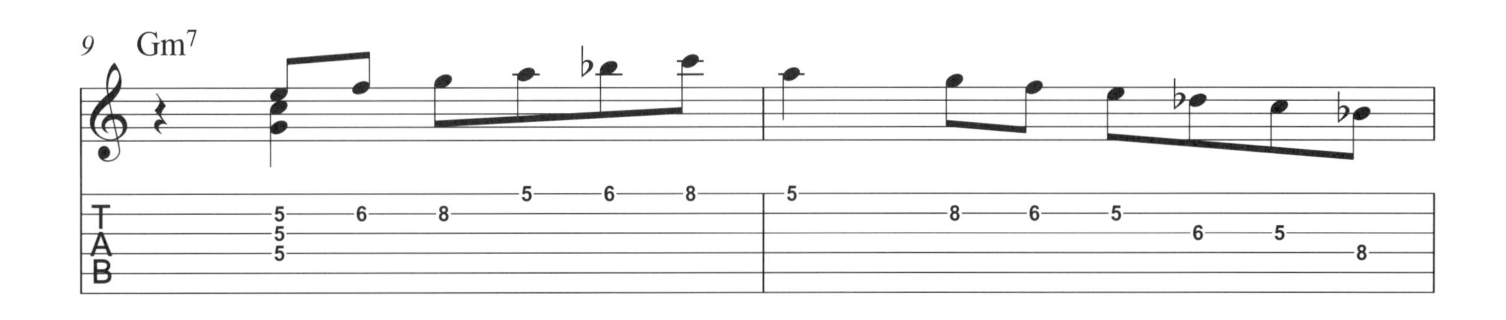

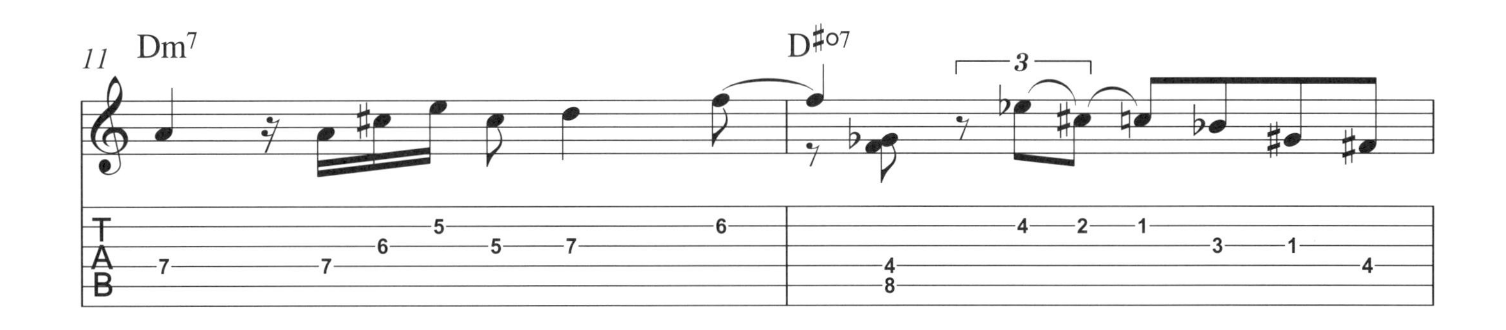

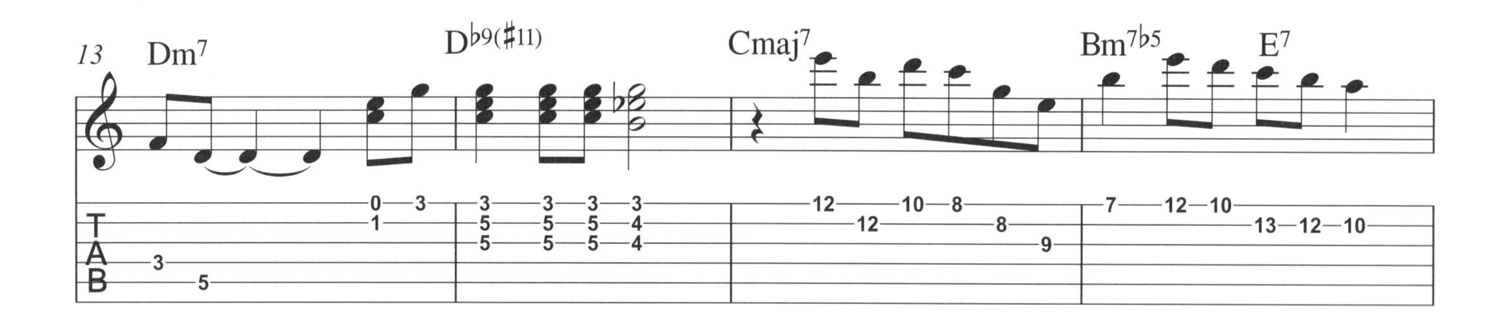
13
Dm7
D♭9(♯11)
Cmaj7
Bm7♭5
E7
TAB

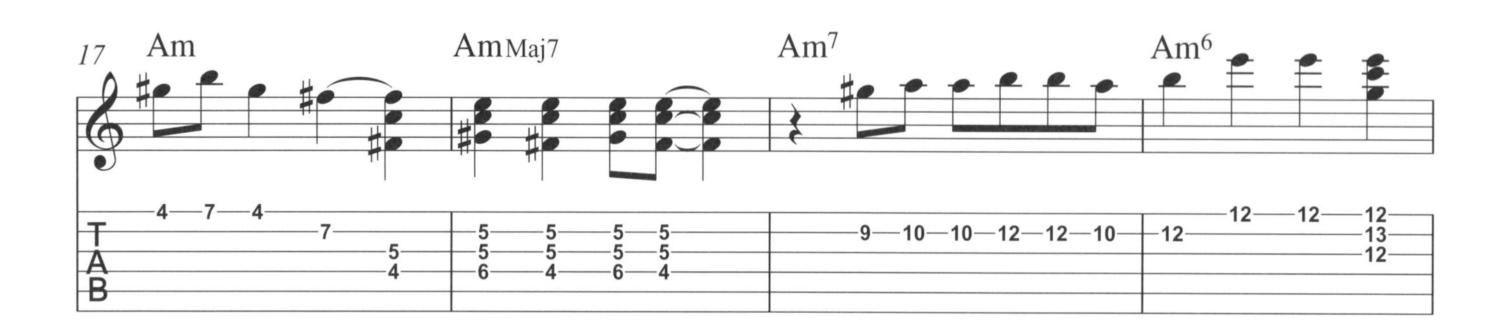
17
Am
AmMaj7
Am7
Am6
TAB

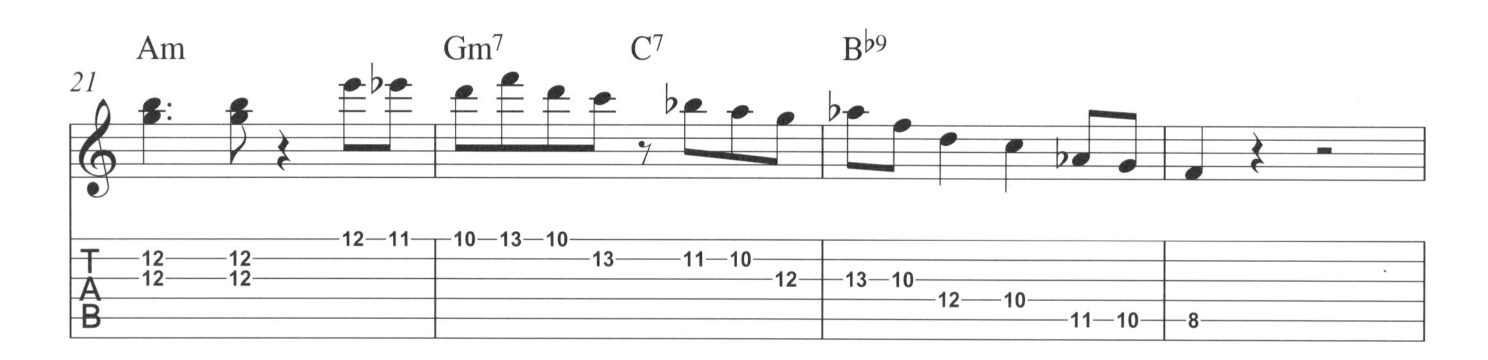
21
Am
Gm7
C7
B♭9
TAB

25
Gm7
Dm7
D♯o7
TAB

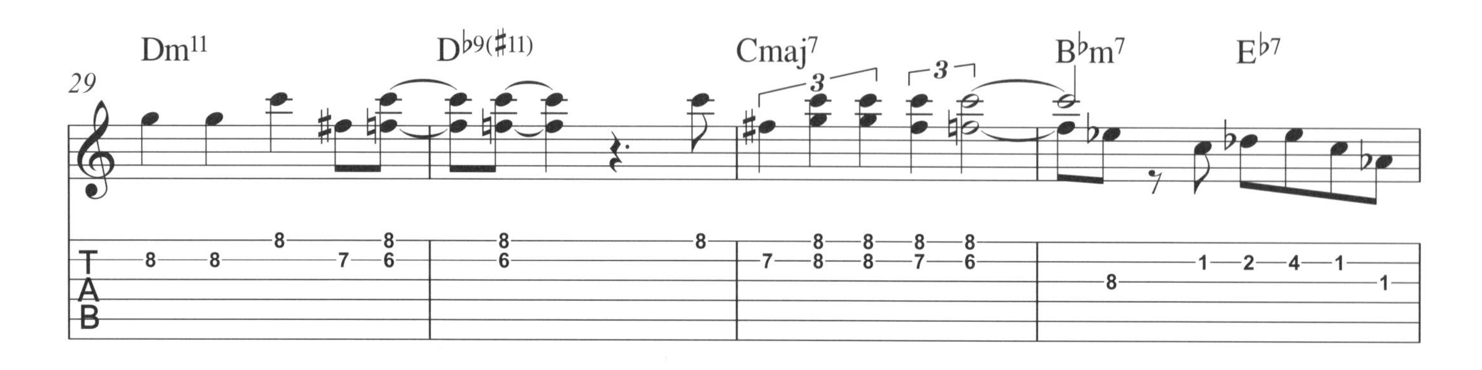
29
Dm11
D♭9(♯11)
Cmaj7
B♭m7
E♭7
3
3
TAB

33
A♭maj7
B♭m7
E♭7
3
T
A
B

37
A♭maj7
D♭/A♭
A♭maj7
E♭7
3
T
A
B

41
B♭m7
E♭7
B♭m7
E♭7
C7
T
A
B

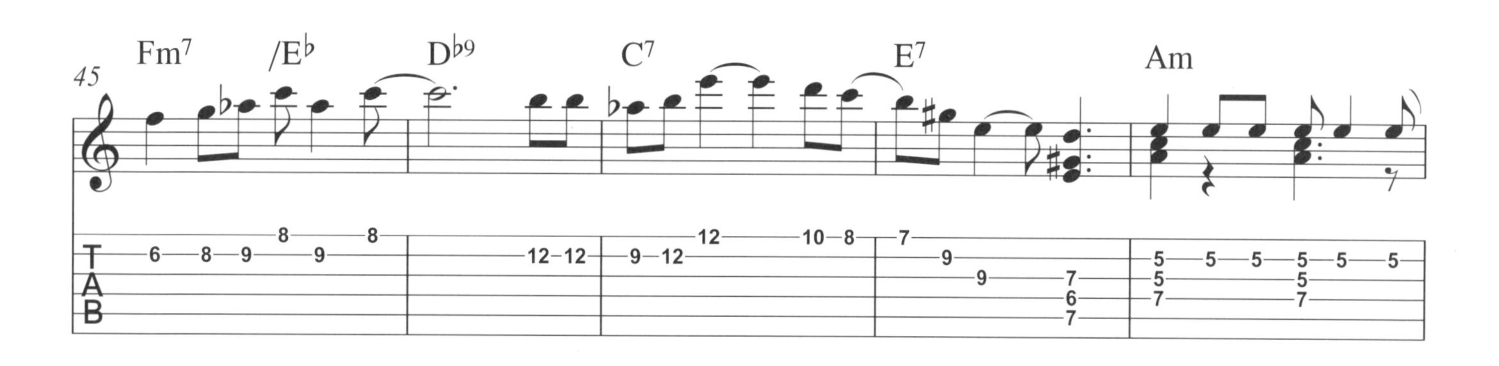
45
Fm7
/E♭
D♭9
C7
E7
Am
T
A
B

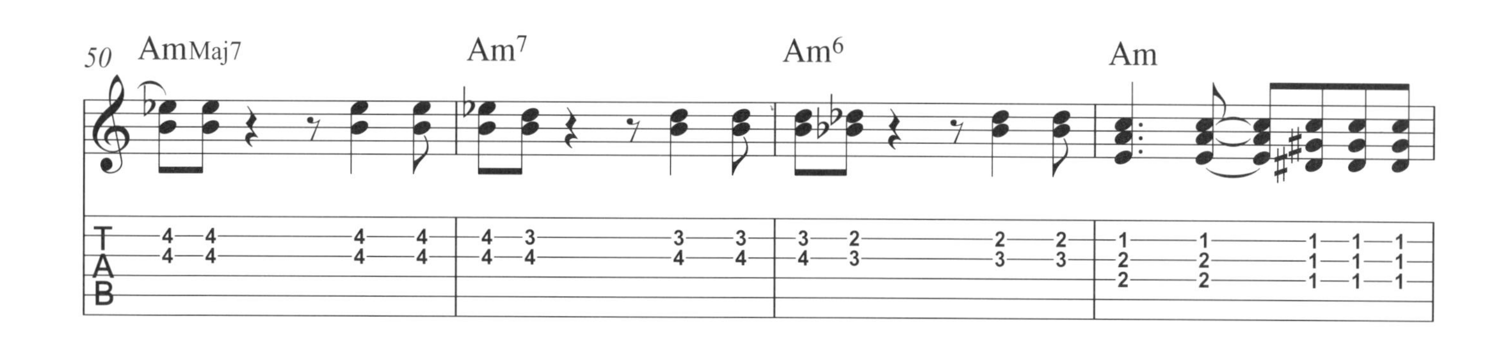
50
AmMaj7
Am7
Am6
Am
T
A
B

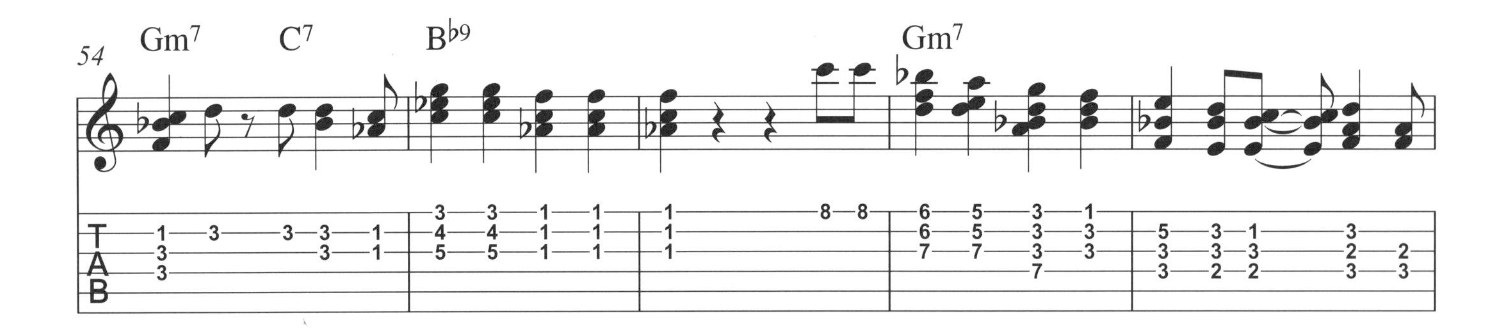
54
Gm7
C7
B♭9
Gm7

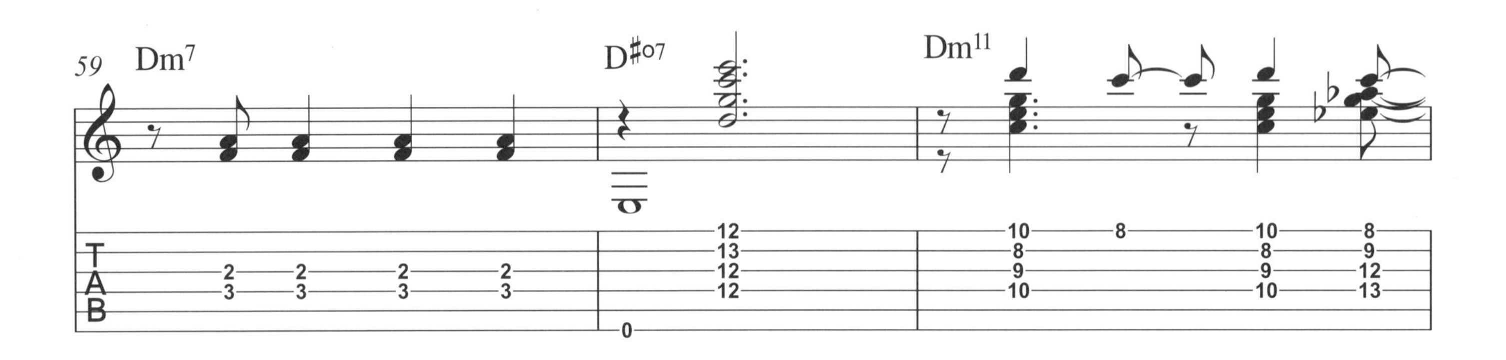
59
Dm7
D♯o7
Dm11

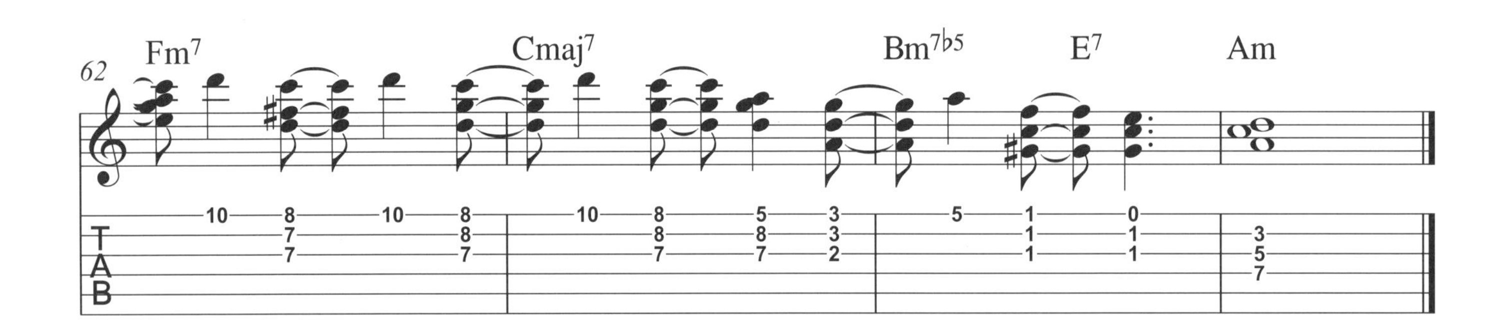
62
Fm7
Cmaj7
Bm7♭5
E7
Am

Improvisation No.3の分析

Little White Liesが１つのアイディアをどれだけ継続できるか、という例だとしたら、このPannonicaはシングル・ラインの好例といえるでしょう。このソロでは、コードはほとんど使っていません。11、22、29，32～34小節めのように、コードはソロの一部というよりはコンピングとしての役割を担っています。ここでもやはり*Kurt*のプレイはピアノ的であり、シングル・ラインが右手、コンピングが左手、というイメージです。この手法はこのアルバム中で、頻繁に使われています。

前曲のソロと同様に、*Kurt*はいくつかのコンセプトを使ってソロを組み立てています。それにより、ほぼ全編がシングル・ノートでありながらも飽きさせてはいません。リズムに集中して聴いてみると、22～24小節めは８分音符、８、26～28小節めはトリプレット、1から3、16、19、24～26小節めでは16分音符、というようにあらゆるタイプのリズムをミックスしています。

上記の基本的なリズミック・パターンだけでなく、23、29、34小節めのように、１小節に対して５音または６音のフレーズを弾くような複雑なパターンも見つかるでしょう。また、３、５、18、20、21、31小節めのような付点音符を使うことで、８分音符の連続によるスウィングのフィールとはひと味違った流れが生まれます。

*Kurt*はこれらのリズムをミックスして表現する能力にも長けていますが、３、11、14、15、18，29、32小節めを読めば、１つの小節内でも複数のリズムが見えるでしょう。*Kurt*は、ただリズムをミックスするだけではなく、トラディショナルでもモダンな手法でも、それらを常に組み合わせて、ユニークなフレーズと独特なキャラクターを創り出すことができるのです。このようなリズム感覚が*Kurt*のサウンドを明確しています。ほかのソロやアルバムもチェックしてリズミックなアイディアを探してみましょう。

それ以外にもこのソロで特筆すべき点がいくつかあります。まず１つめは、６、10、16、27小節めに見られるオクターヴのリープです。これはスケールでスペースを埋めずに一気に違うオクターヴへとジャンプする手法で、１つのラインを継続しながらも、新たなインパクトを与えることができます。

ビバップ・スケールの使用からも、*Kurt*がバップの研究に時間を費やしてきたことがわかります。３小節めのA♭、G、G♭、19小節めのF、E、E♭、25小節めのA、A♭、Gからビバップ・スケールがわかるでしょう。このうち最初の２つは、ルートから7thへクロマチックに下行する一般的なビバップ・スケールですが、最後の１つは9thからルートへ下行しています。またここでは演奏されていませんが、*Kurt*はこのスケールに、♭3、♭5、♭13を加えることもあります。

最後は、ピアニスト*Brad Mehldau*のプレイに見られるような、フレーズの終わりの音を延ばしながら次のフレーズを始める、というアイディアです。これは15、18、26小節めで見られますが、ハーモニーやオクターヴを使うことなく、ラインに新たな質感を加えることできます。ここからも*Kurt*がピアニストから多くを学んできたことがわかるでしょう。

Improvisation No.3

Pannonicaのコード・チェンジによる
カート・ローゼンウィンケルのソロ

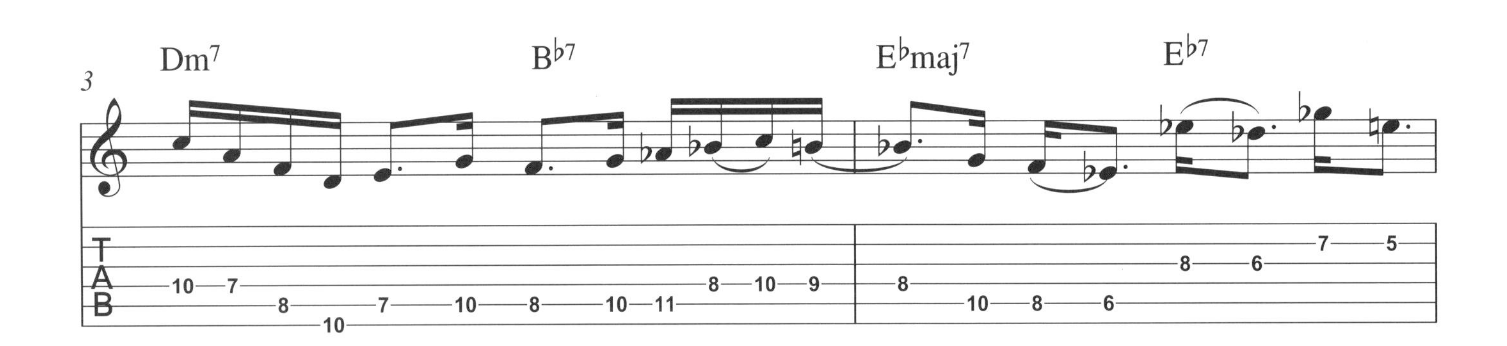

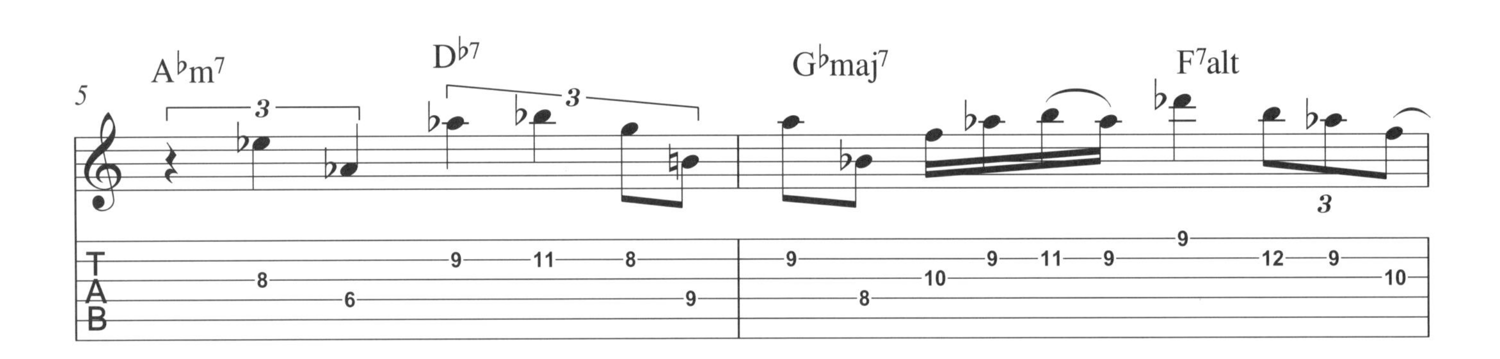

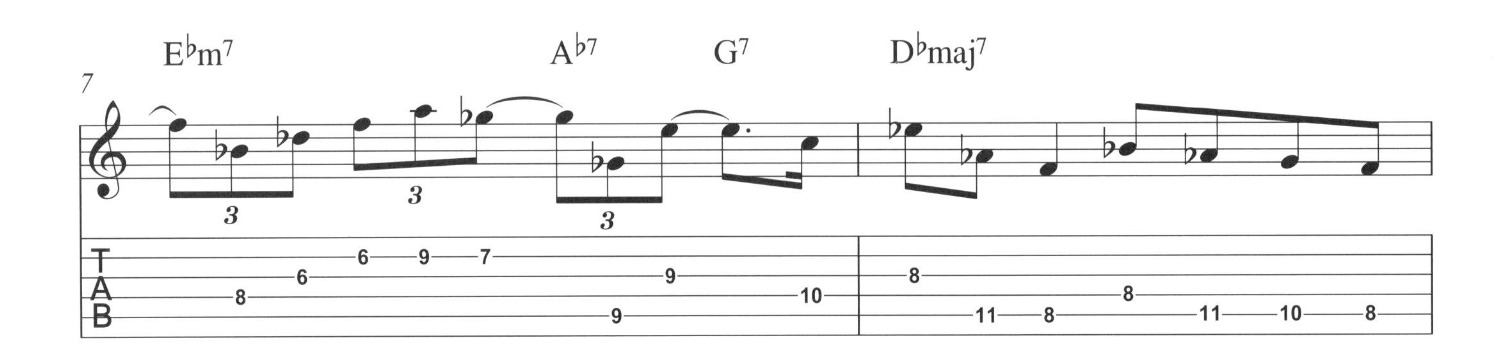

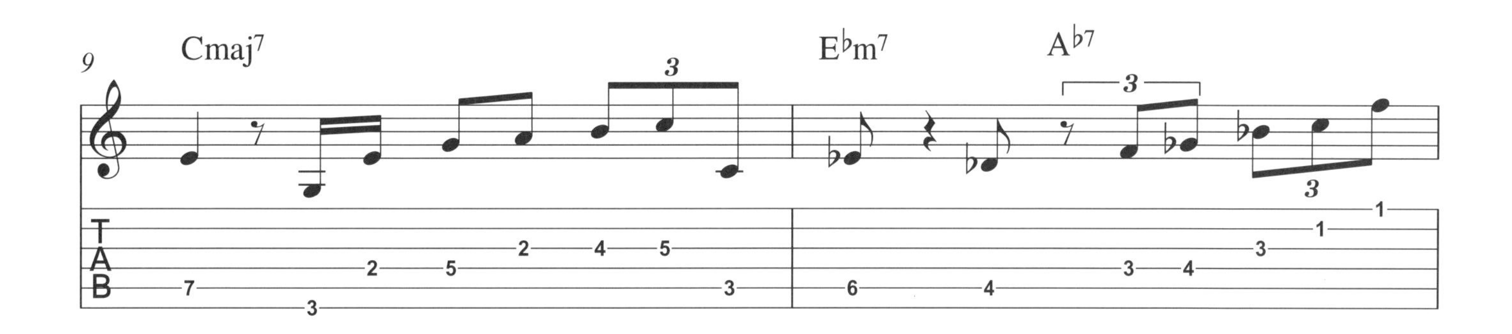
9
Cmaj7
E♭m7
A♭7

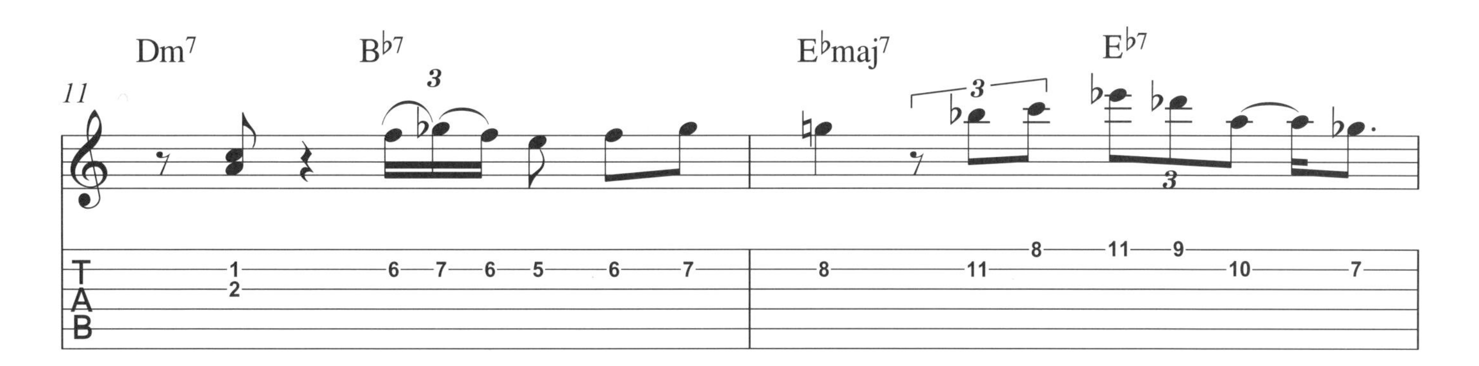
11
Dm7
B♭7
E♭maj7
E♭7

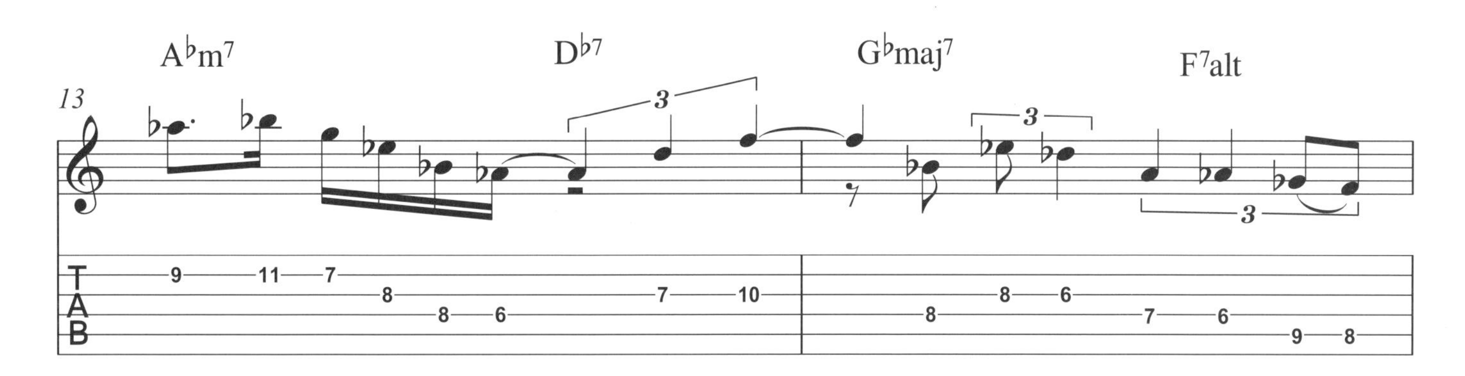
13
A♭m7
D♭7
G♭maj7
F7alt

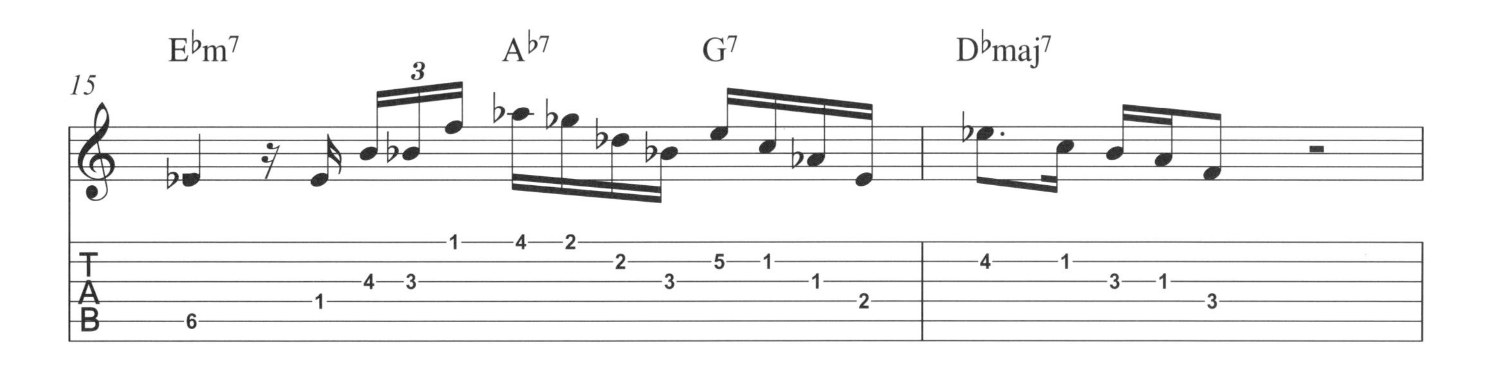
15
E♭m7
A♭7
G7
D♭maj7

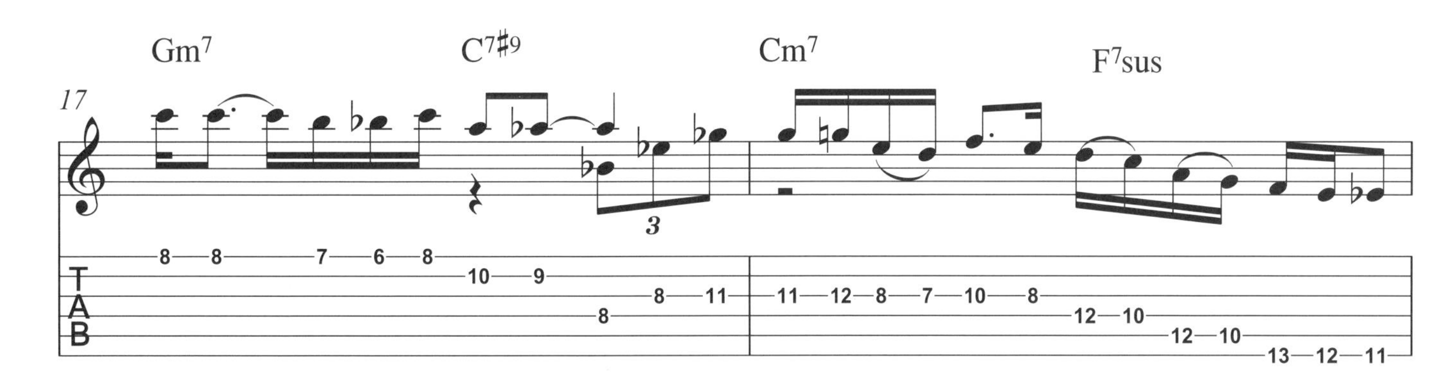
17
Gm7
C7♯9
Cm7
F7sus

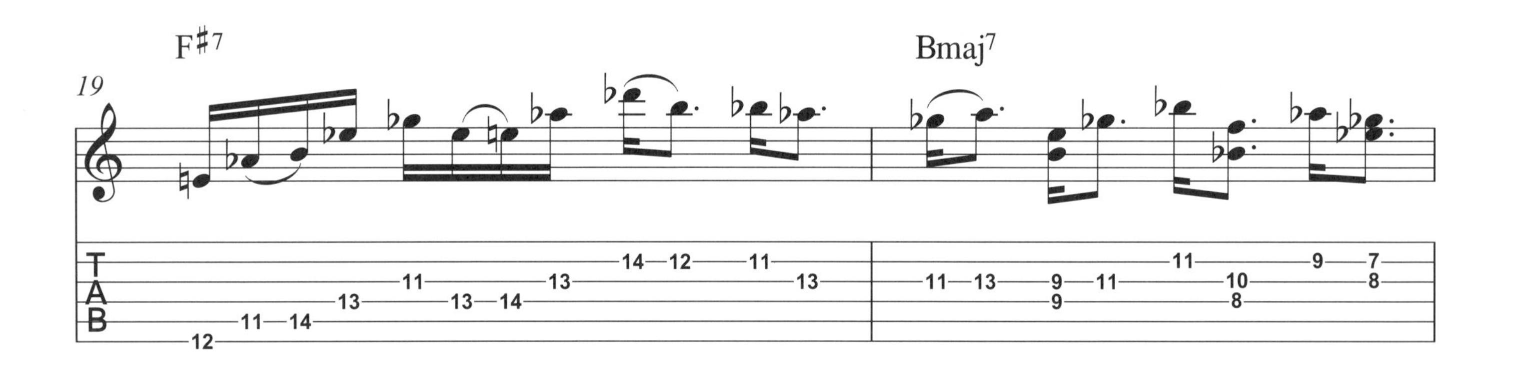
19
F♯7
Bmaj7
TAB

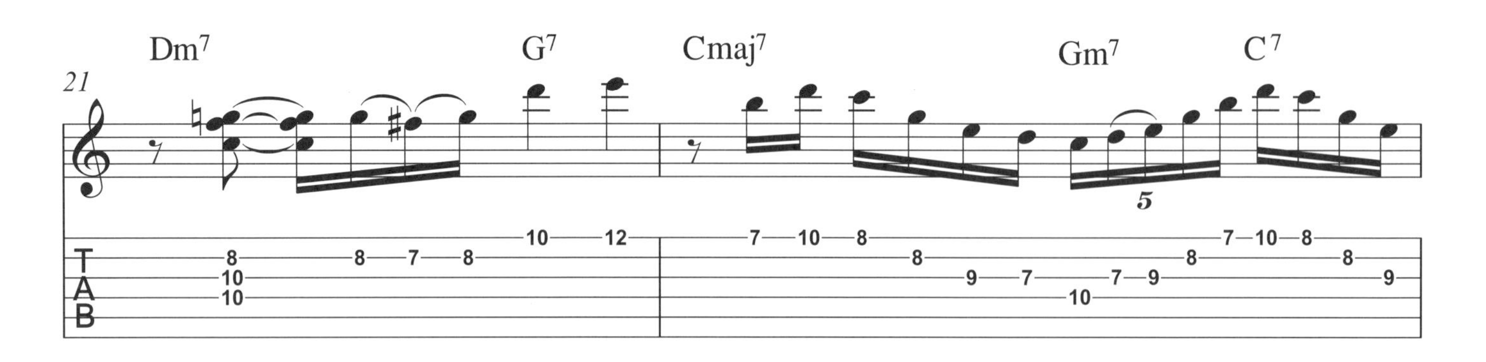
21
Dm7
G7
Cmaj7
Gm7
C7
TAB

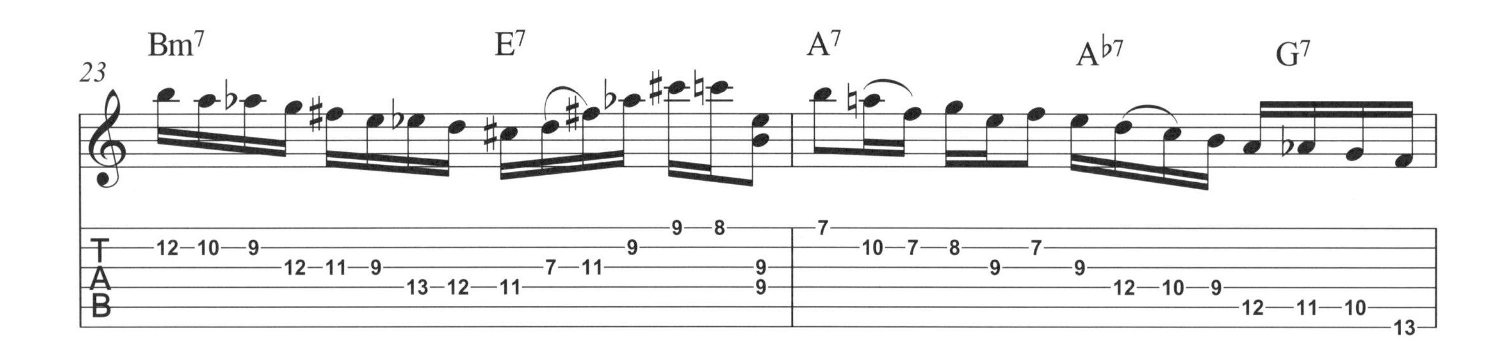
23
Bm7
E7
A7
A♭7
G7
TAB

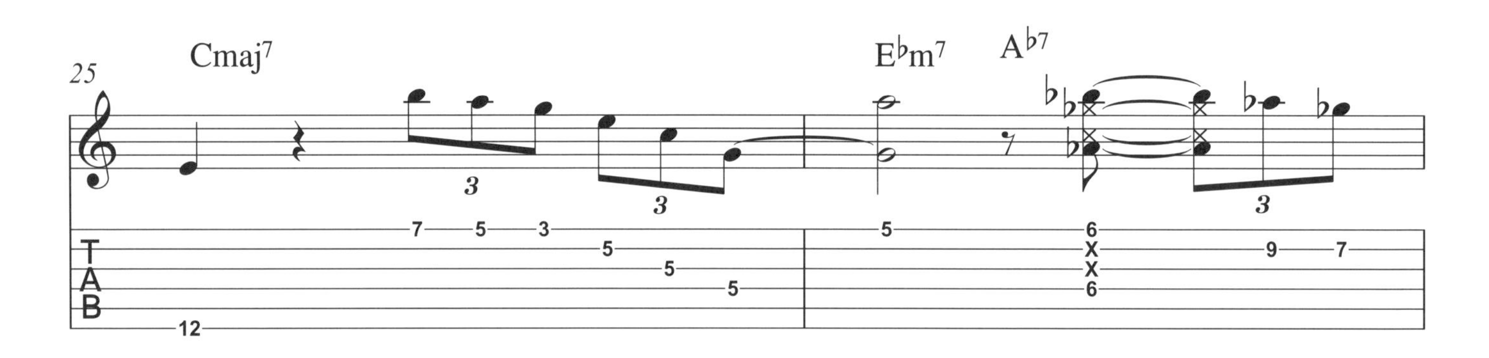
25
Cmaj7
E♭m7
A♭7
TAB

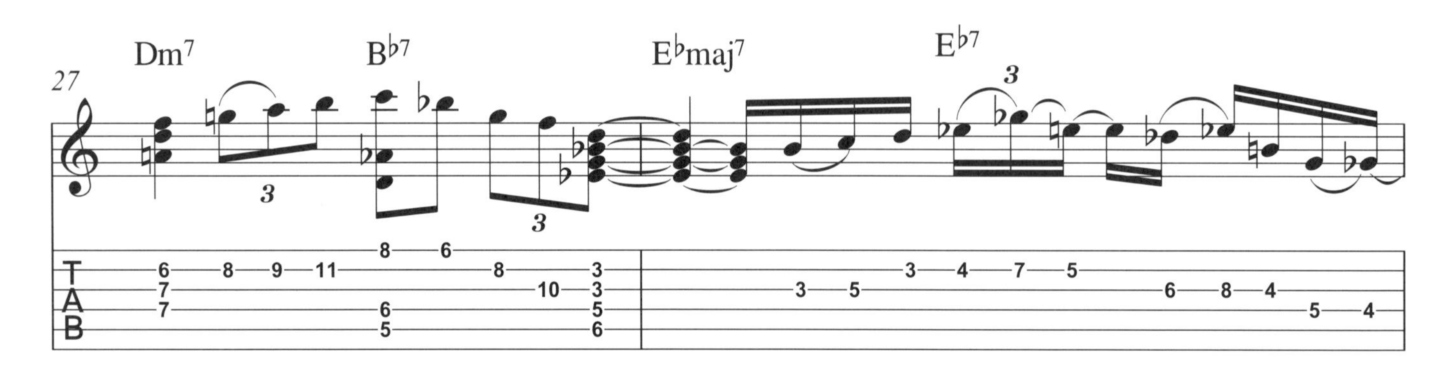
27
Dm7
B♭7
E♭maj7
E♭7
TAB

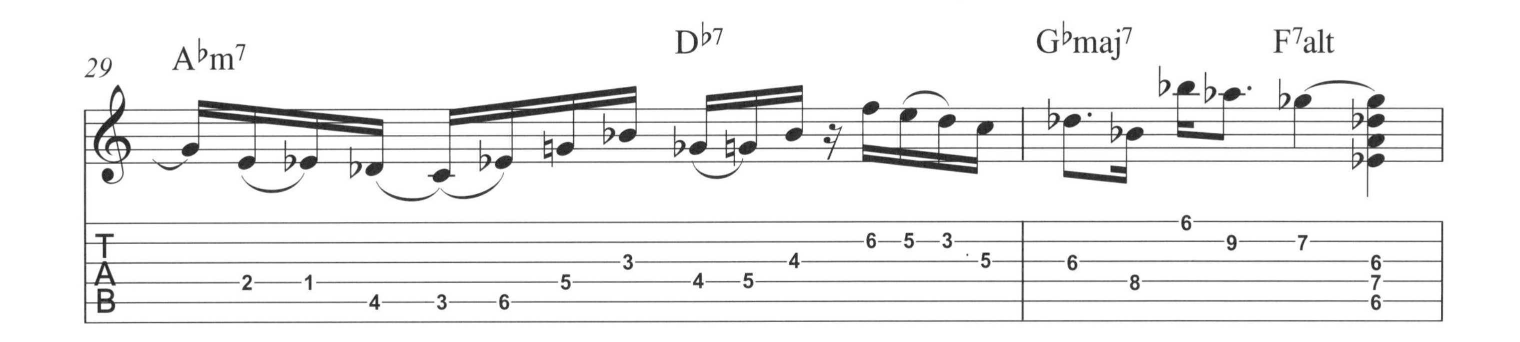
29
A♭m7
D♭7
G♭maj7
F7alt
T
A
B

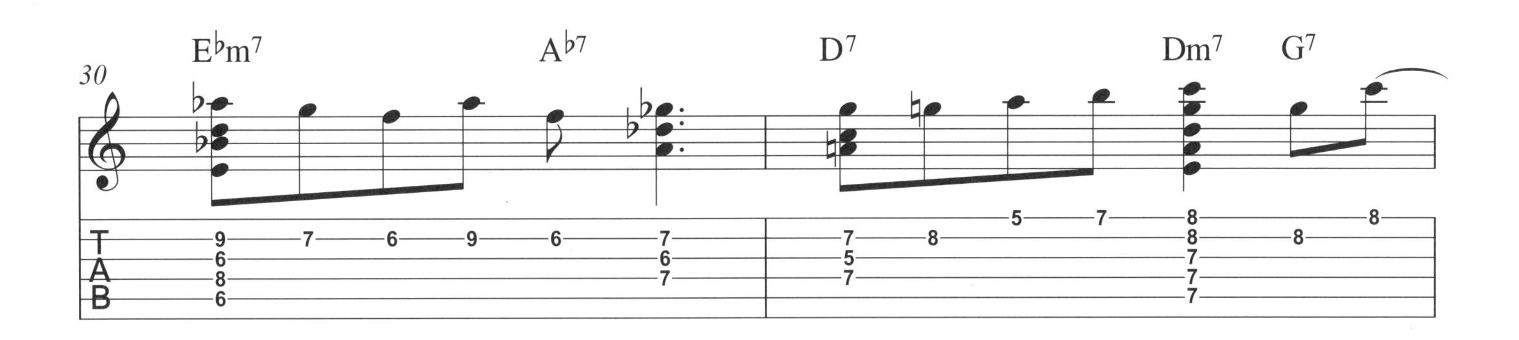
30
E♭m7
A♭7
D7
Dm7
G7
T
A
B

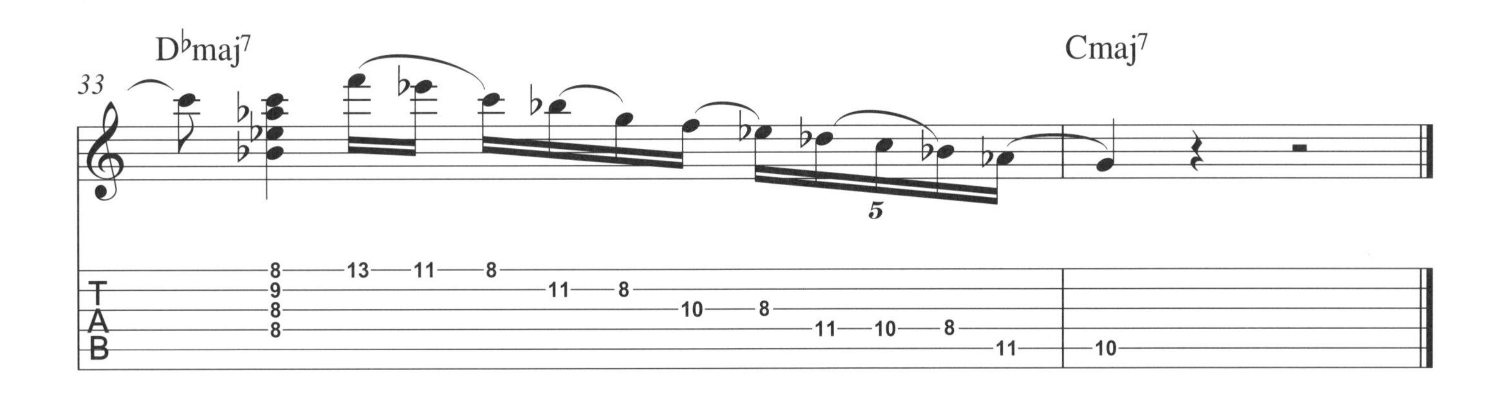
33
D♭maj7
Cmaj7
5
T
A
B

Improvisation No.4の分析

ここまでのソロでは、１つのアイディアを土台にインプロヴィゼイションを展開していましたが、この曲での*Kurt*は、乱雑になることなく、多くのアイディアを１つにまとめあげています。

まず注目すべき点は、あらゆるリズムをミックスする*Kurt*の能力です。１小節めではウラ拍を強調し、３小節めでは８分音符、16分音符、８分音符のトリプレットを１つの小節内でミックスしています。15小節めでは、スウィープ･ピッキングを使ったアルペジオで、１拍に対して５音のフレーズをプレイしています。10〜12、21、32、36、38小節めでは、フレーズがトリプレットで構成されています。*Kurt*は、トリプレットをタイや休符を使って装飾し、ユニークなフレーズに仕立てています。

ハーモニーの面でもヴァラエティに富んだ手法が用いられています。１、24、30、39、40小節めではトライアドが使われています。これまでのソロと同様にダイアトニック･トライアド、１-３-５トライアド、３-５-７トライアド、スケールから派生するその他のトライアドをミックスして使用しています。25〜28小節めでは、ここまでのソロでは使われていない分数コードが登場します。これはベース･ノートに対して４度上のトライアドが積まれています。その結果、25小節めではA音に対してEメジャー･トライアド、続いてG音に対してDメジャー、A♭音に対してE♭メジャー、のようになります。これを１弦から４弦でプレイすると、フレットボード上でのフィンガリングが容易で、なおかつ、よいサウンドがします。誰もが簡単にプレイできるトライアドを使いながらも、それによってフレッシュなアイディアを生み出しています。

トライアドと同様に、６、７、９、16小節めでは、3rdと7thを使って自分自身のソロにコンピングを入れています。23、34、39小節めでは4thヴォイシングも使っています。

ここでは新たに、ソロのラインを３度でハーモナイズするというプレイも見られます。このアイディアは20、21、30〜33小節めで聴かれ、テクニック的にもハーモニー的にも、簡単かつ効果的にラインを力強くすることができます。また*Kurt*が使う、トライアドや３音以上のコーダルなラインとのコントラストも生まれます。

ここでの*Kurt*は、ハーモニック･アイディアと同様に、すばらしいメロディック･ラインも聴かせています。12から15、17から19小節では、ダブル･タイムでラインをプレイしています。流れるようなラインは、ほとんどがコードに対してダイアトニックなので、あらゆるレヴェルの学習者にとって、よい研究素材となるでしょう。

６から８小節めでは印象的なモティーフがプレイされています。まず初めに土台となるメロディを提示し、次の小節でそれを発展させます。そして３小節めでアイディアを完結させています。これはコール＆レスポンスの手法に展開部を加えたもので、１つのアイディアを少し長くすることができます。36〜38小節めではリズミックなモティーフを発展させていますが、ここでも前と同様、まずアイディアを提示し、３小節めで完結させています。しかし中間部では発展させるのではなく、一息ついているように感じさせています。

このソロは、ハーモニック、メロディック、ともに多くのアイディアを使っているにもかかわらず、決して焦点がぼやけることなくソロ全体を構成しているよい例でしょう。各ラインが表現するカラーに注目して勉強しましょう。

Improvisation No.4

Turn Out the Starsのコード･チェンジによる
カート･ローゼンウィンケルのソロ

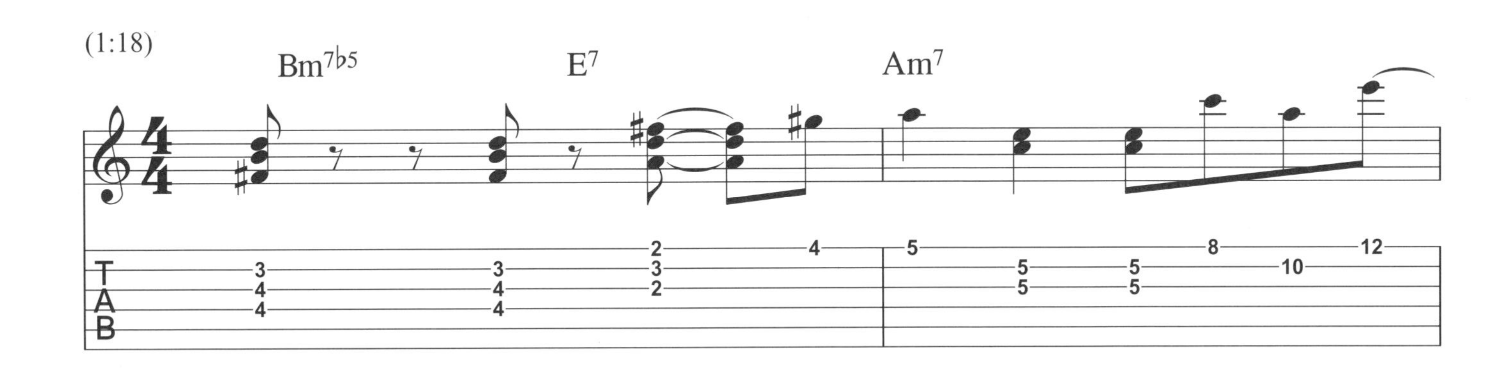

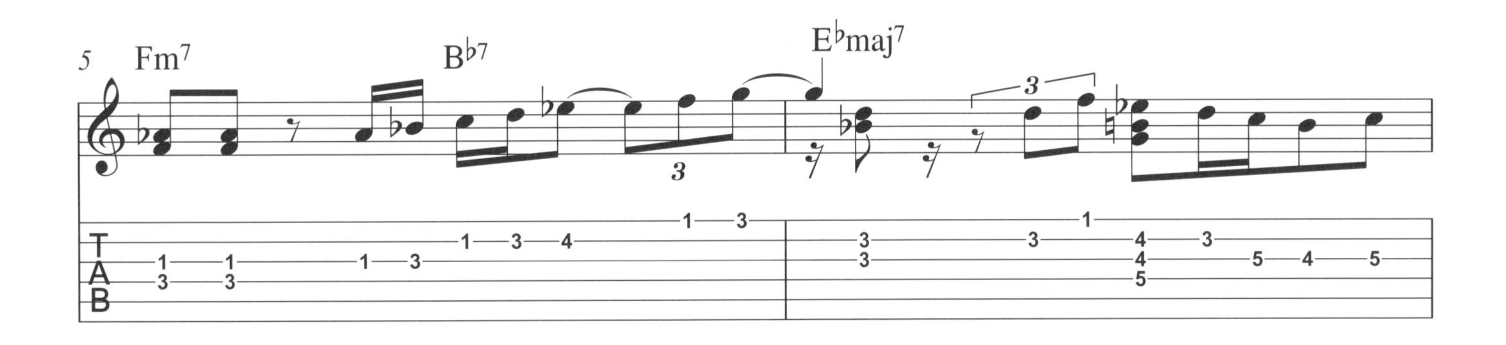

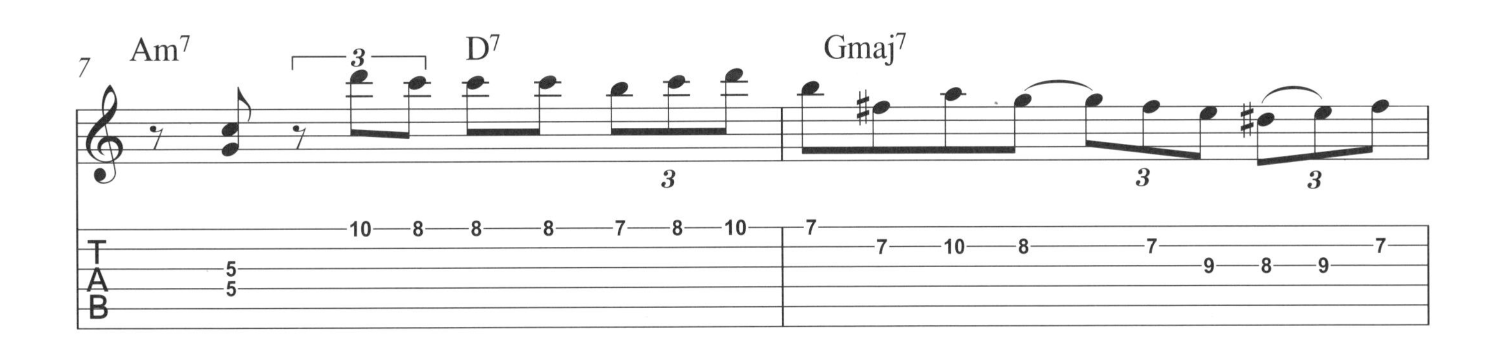

9
C♯m7
F♯7
Bmaj7
TAB

11
B♭m7♭5
E♭7♯9
TAB

13
A♭m7
B♭7♯9
TAB

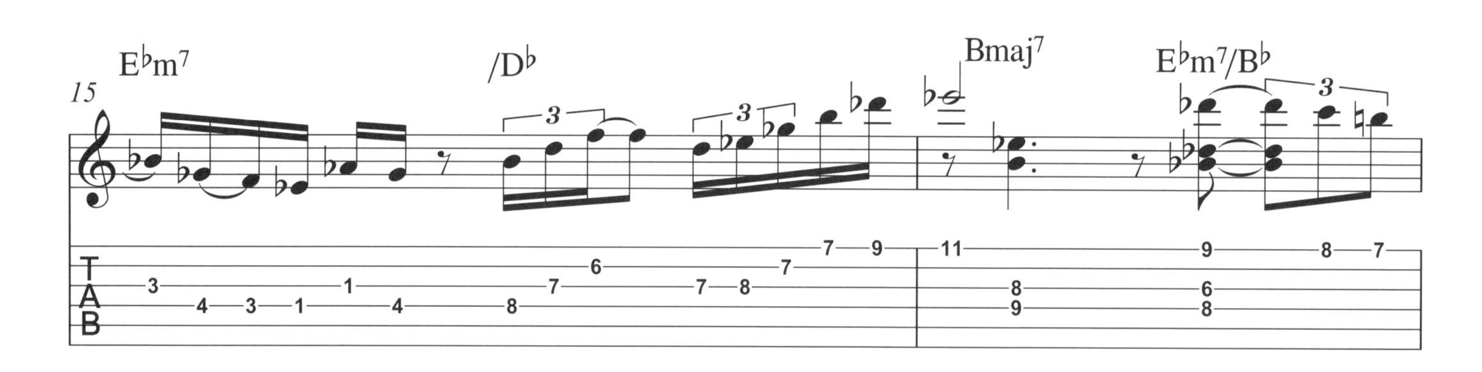
15
E♭m7
/D♭
Bmaj7
E♭m7/B♭
TAB

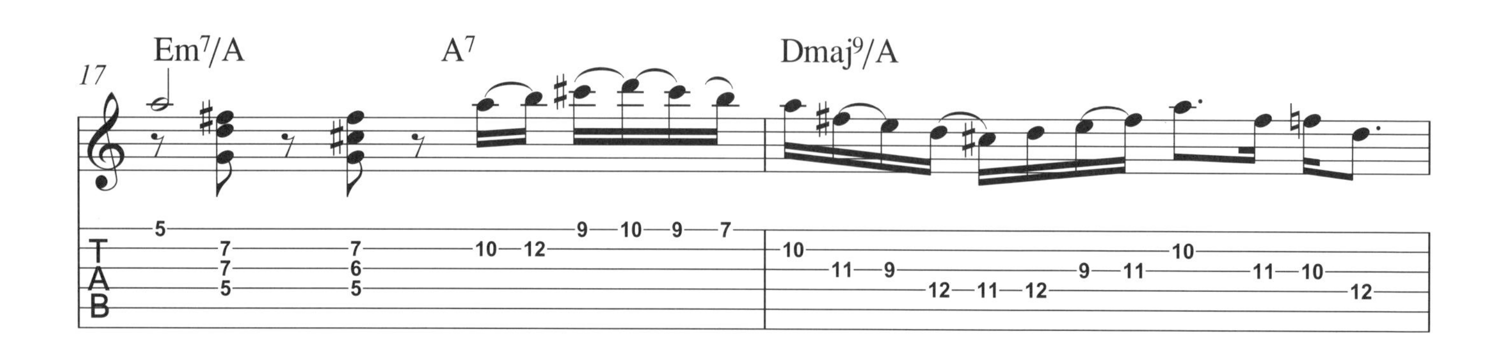
17
Em7/A
A7
Dmaj9/A
TAB

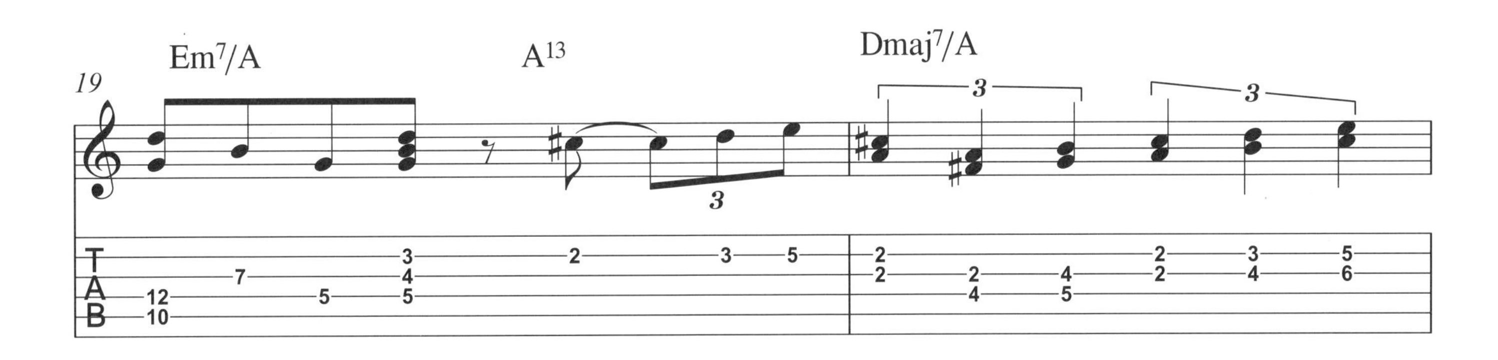

19
Em7/A
A13
Dmaj7/A

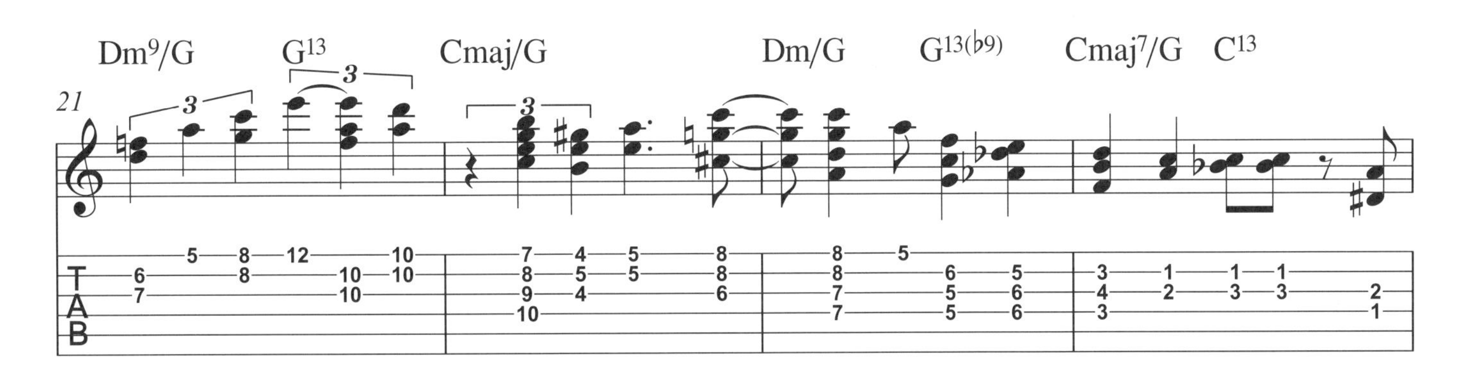

21
Dm9/G
G13
Cmaj/G
Dm/G
G13(♭9)
Cmaj7/G
C13

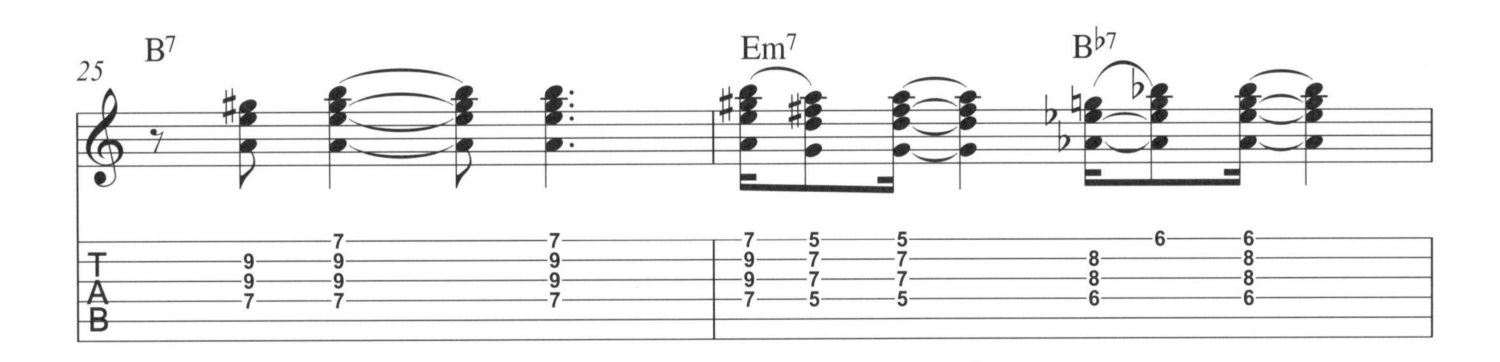

25
B7
Em7
B♭7

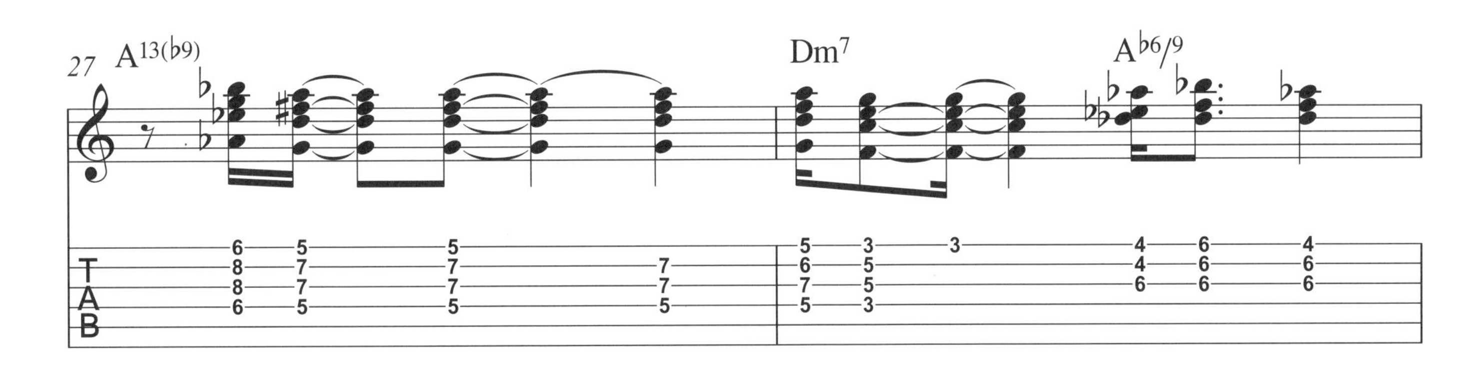

27
A13(♭9)
Dm7
A♭6/9

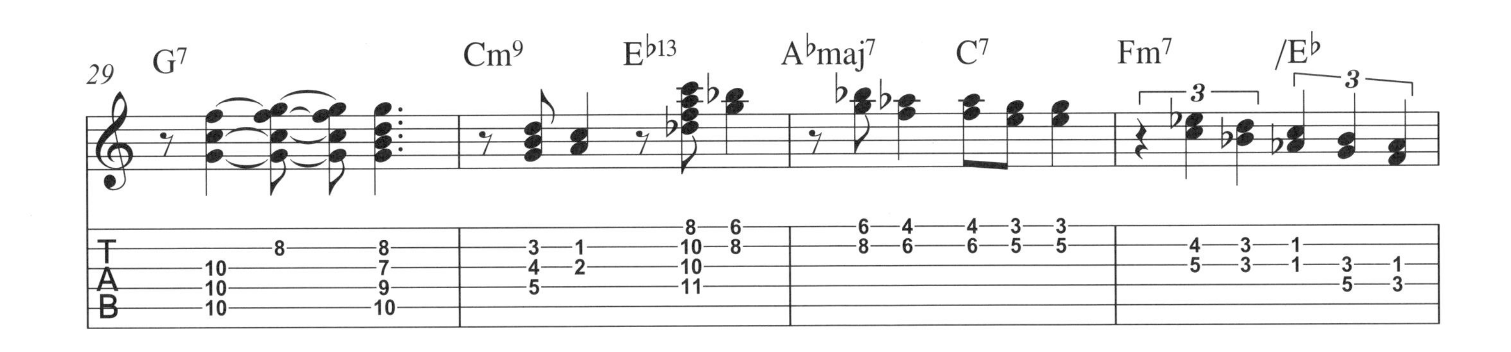

29
G7
Cm9
E♭13
A♭maj7
C7
Fm7
/E♭

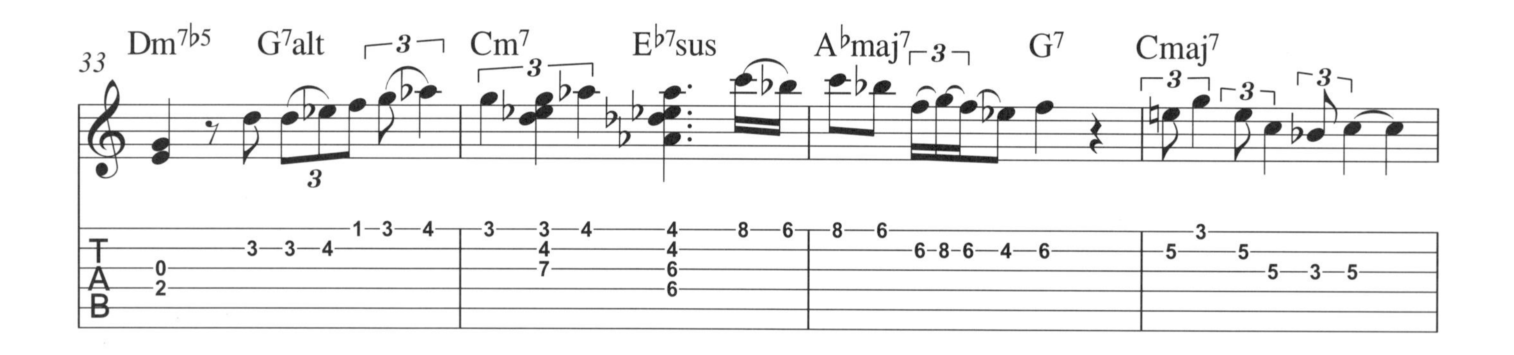
Dm7b5
G7alt
Cm7
Eb7sus
Abmaj7
G7
Cmaj7

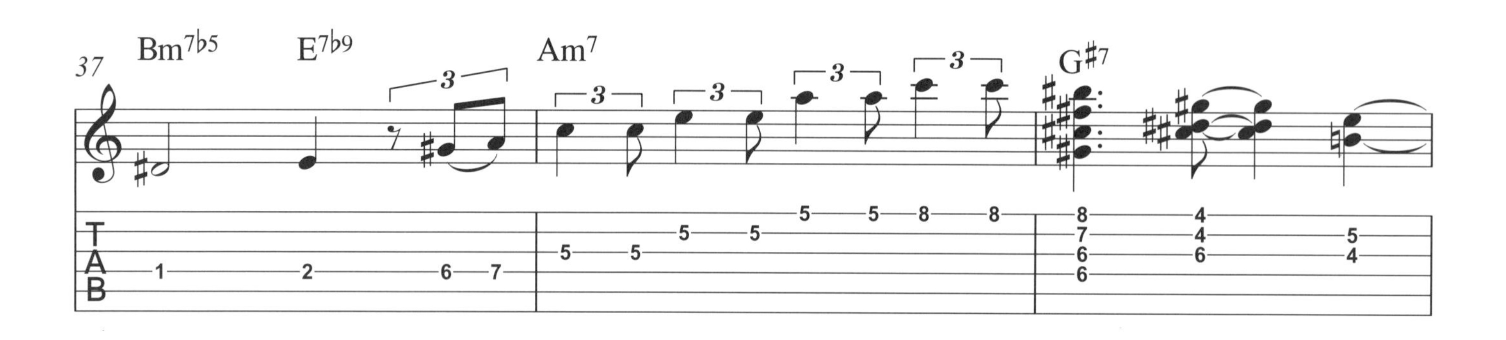
Bm7b5
E7b9
Am7
G#7

C#m7
Bm7b5

Improvisation No.5の分析

このアルバムで速いテンポの曲の１つにあげられるLazy Birdでは、自由にプレイする*Kurt*が存分に味わえるでしょう。このソロでも、これまでに見てきた、トライアド、3rdと7th、4thヴォイシング、リズミック･アイディアなど、すばらしい*Kurt*らしさを堪能できます。これらのコンセプトは、さらに小節線をまたぐようなプレイと合わさって、より明確に示されています。

まず最初に印象に残るフレーズは、16～24小節めでしょう。このセクションは、アルバム全体から見ても特にすばらしく、このアイディアを、自分自身のプレイにも是非取り入れたいほどです。

このフレーズを詳しく見てみましょう。まずはリズムですが、この９小節間、*Kurt*はすべての４分音符をウラ拍でプレイし、最後まで表拍で解決させていません。ある程度の長さでウラ拍を強調し続けることで、あたかもウラ拍が強拍であるかのように錯覚させる効果があります。

メロディ的にはとても興味深いモティーフで構成され、このフレーズ内で発展し解決します。１つのモティーフは８音のグループで、D音から長３度（メジャー3rd）下がり、短３度（マイナー3rd）上がり、長２度（メジャー2nd）下がり、短２度（マイナー2nd）下がり、短３度上がり、長２度下がり、そして次のグループへ短２度上がります。見てのとおり、このフレーズはとても複雑で、しかも途中でなめらかに半音転調し、まるでインプロヴィゼイションというよりは、まるで作曲されたラインのように聴こえるでしょう。終わりはリズミック･モティーフのみを残し、下行するラインで解決します。

ハーモニー的には、代理コードやさまざまなヴォイシングを使い、メロディとリズムの両面を強化し、さらに興味深いラインに仕立てています。それぞれのヴォイシングを詳しく分析すると、*Kurt*の考えがクリアに見えてくるでしょう。おもにメジャーとマイナー･トライアドといくつかの4thヴォイシングが使われています。トライアドを使うことで、インサイドやアウトサイドへすばやく移行しても、リスナーにそのサウンドを認識しやすくさせることができる、という効果があります。

このフレーズから、勢いとおもしろさを満たしながらフレーズを組み立てることができる、という*Kurt*の能力がはっきりと認識できるでしょう。このソロの後半では、79から82小節めと84から86小節めで、再びこのラインが登場し、さらに一度ならず二度までも発展させています。このことからも、*Kurt*が一度弾いたフレーズを忘れることなく、常に自身のフレーズを認識し、あらたなアイディアへと昇華させてソロを組み立てていることがわかるでしょう。

最後に、２つのすばらしいシングル･ラインに注目してみましょう。49～54小節めと61～64小節めでは、トリプレットと８分音符、そして16分音符がミックスされ、リズム的にも飽きさせません。そしてフレーズに勢いもあり、次は何がくるのかと、リスナーは興味を引かれるでしょう。

44小節めでは、３度インターヴァルのモティーフが現れます。この短いモティーフは、58、59、69、76小節めでも登場します。このことからも、*Kurt*がいかにアイディアを大切にし、ソロ全体をとおして活かしているかがわかります。そして、この芸術的なソロのみならず、彼の作品もまた、自然発生的に生まれていることがうかがえるでしょう。

Improvisation No.5

Lazy Birdのコード・チェンジによる
カート・ローゼンウィンケルのソロ

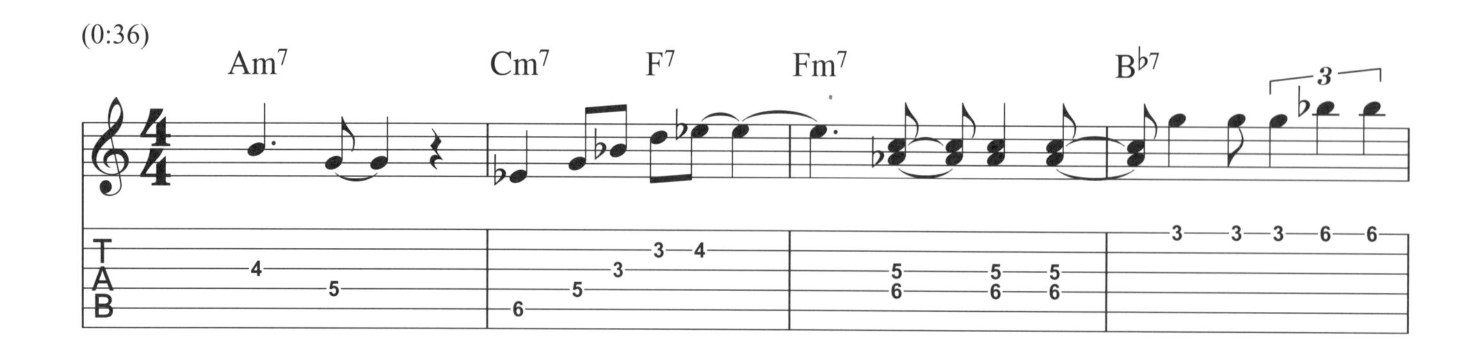

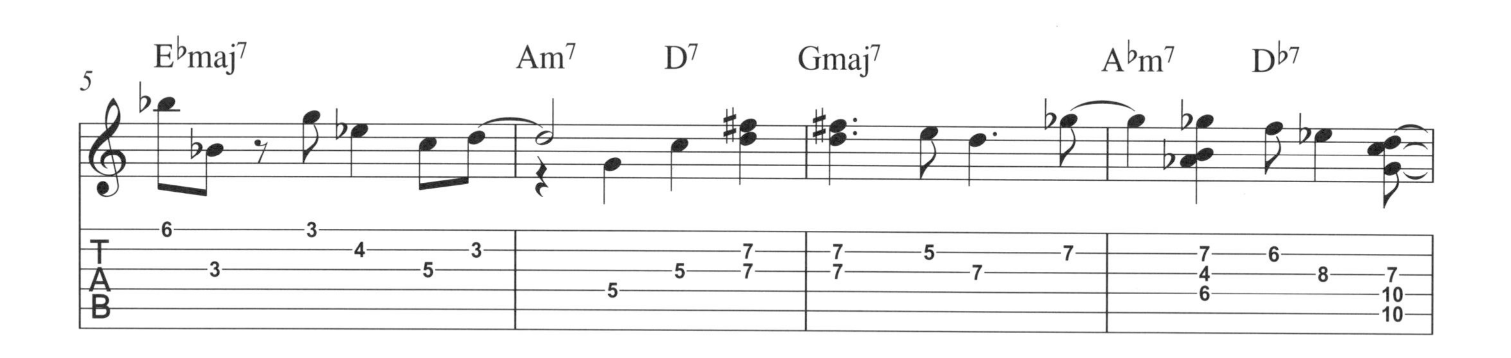

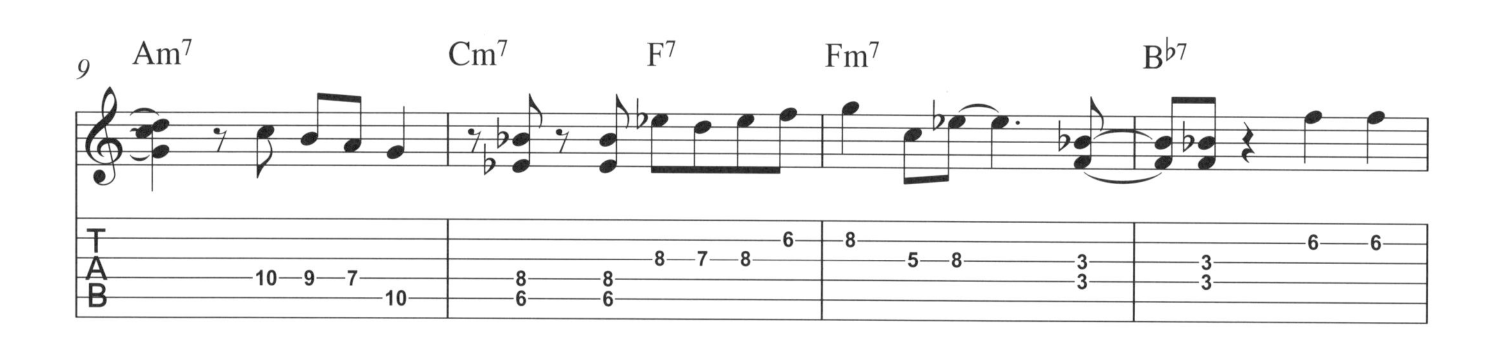

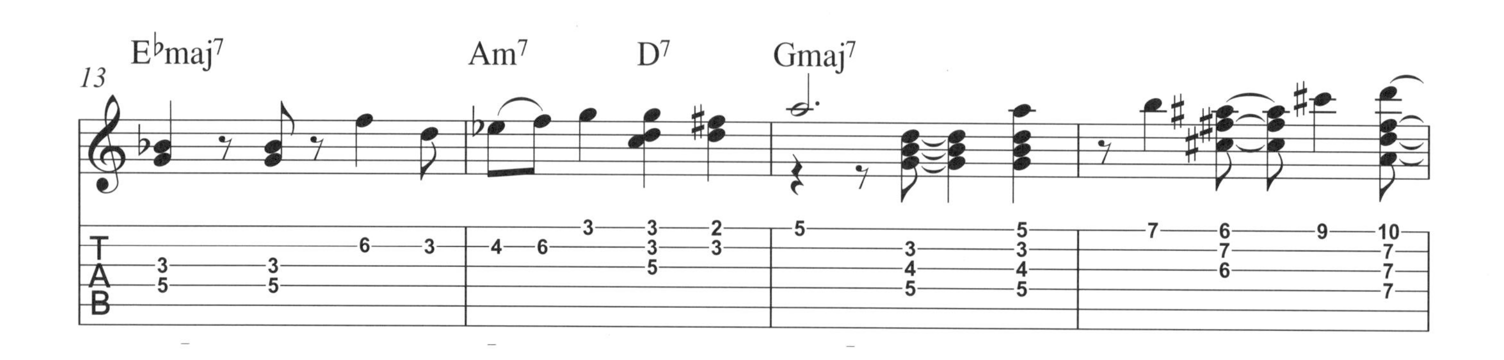

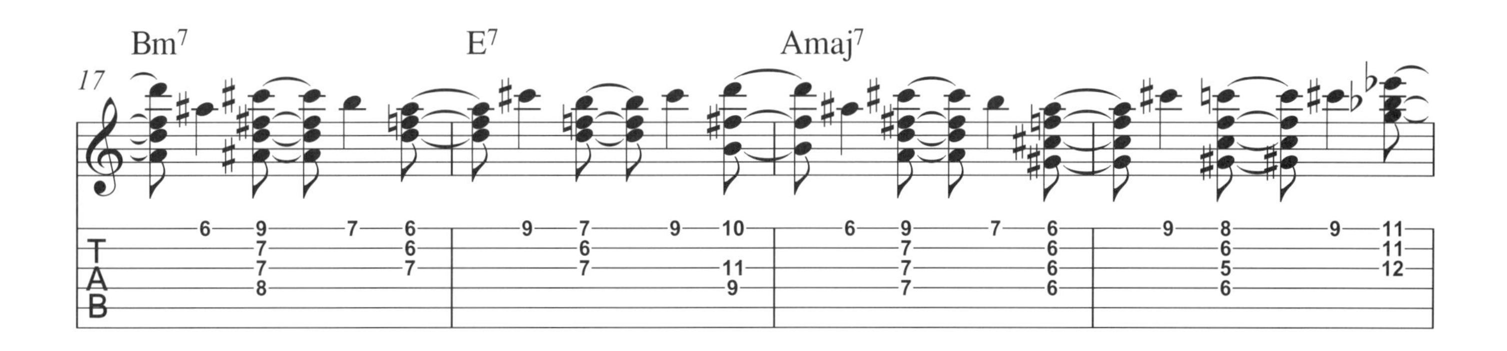
17
Bm7
E7
Amaj7

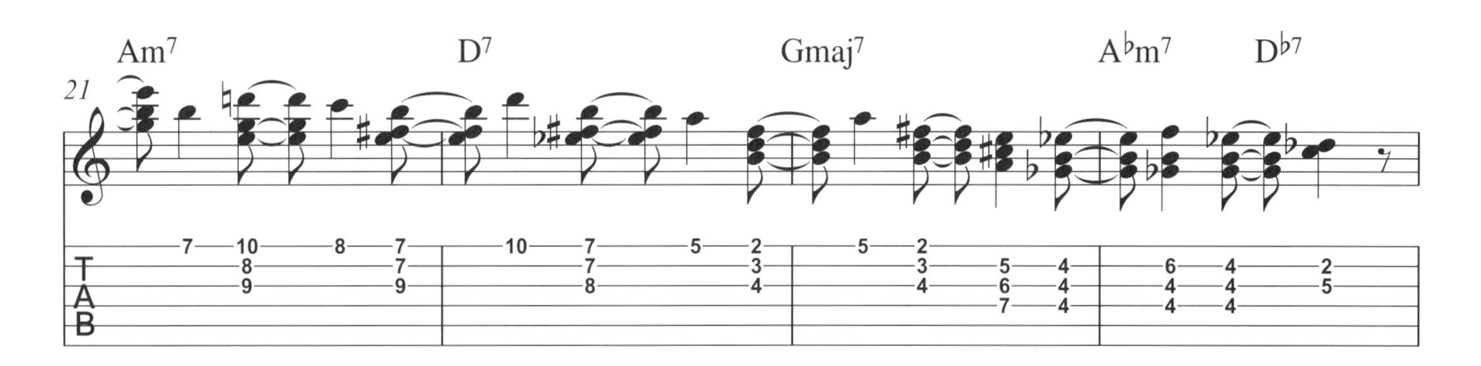
21
Am7
D7
Gmaj7
A♭m7
D♭7

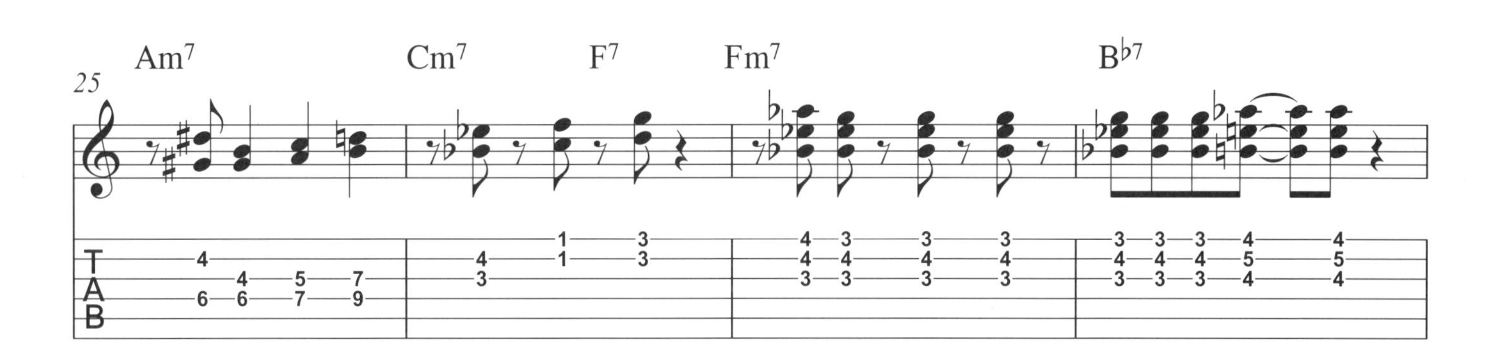
25
Am7
Cm7
F7
Fm7
B♭7

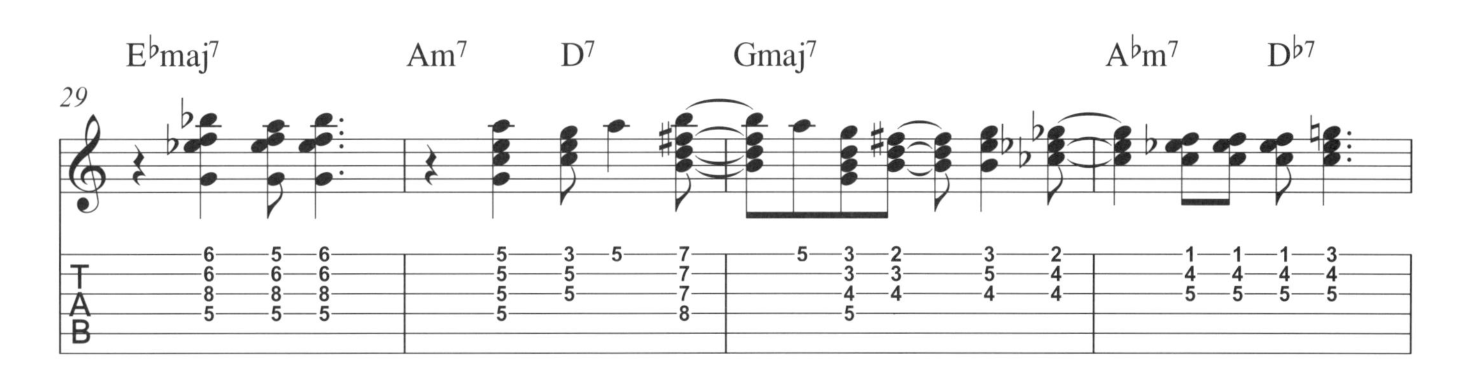
29
E♭maj7
Am7
D7
Gmaj7
A♭m7
D♭7

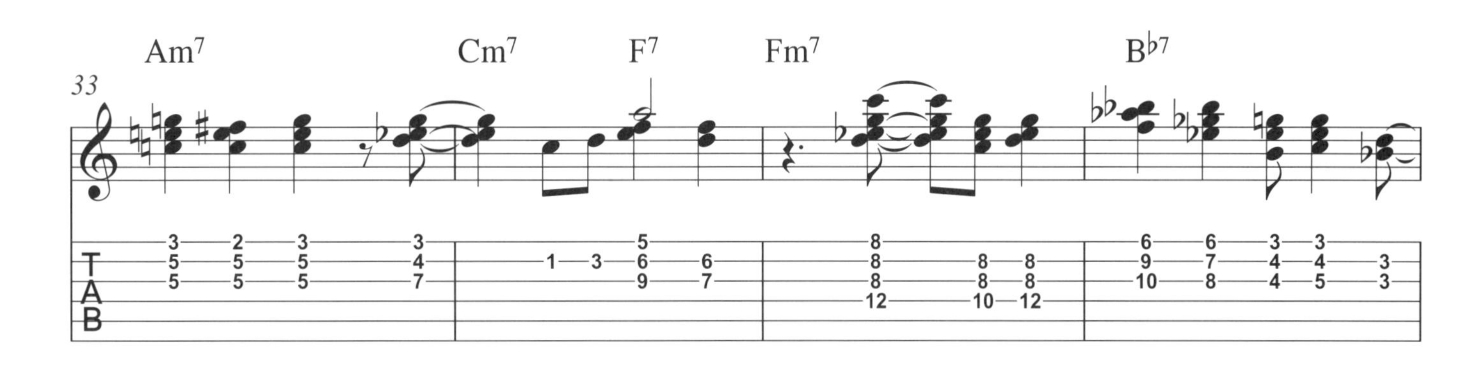
33
Am7
Cm7
F7
Fm7
B♭7

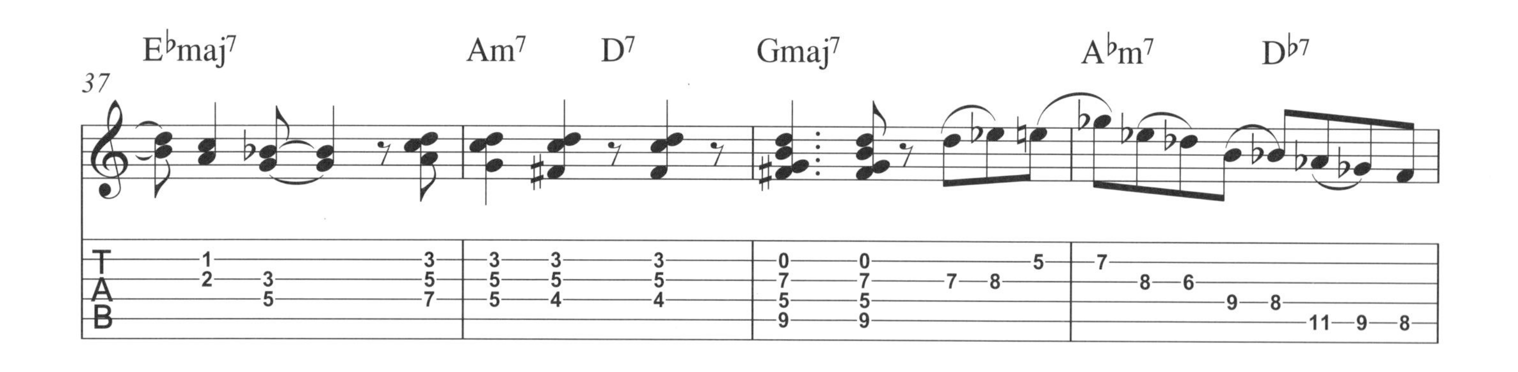
E♭maj7
Am7
D7
Gmaj7
A♭m7
D♭7
37
TAB

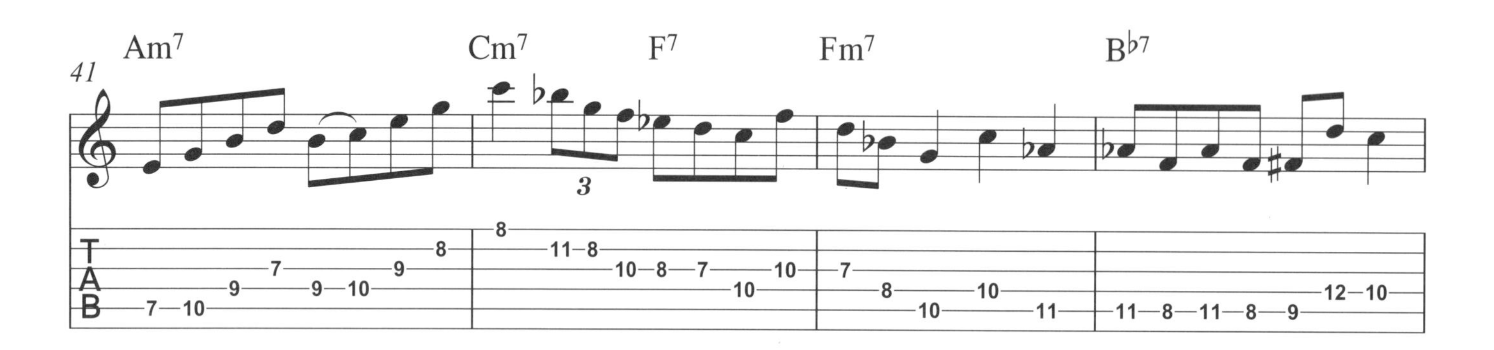
Am7
Cm7
F7
Fm7
B♭7
41
TAB

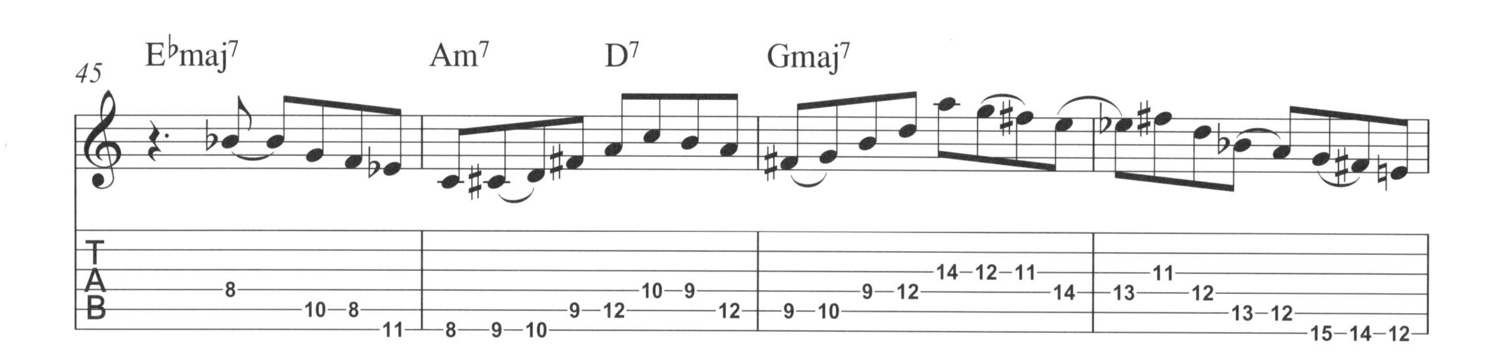
E♭maj7
Am7
D7
Gmaj7
45
TAB

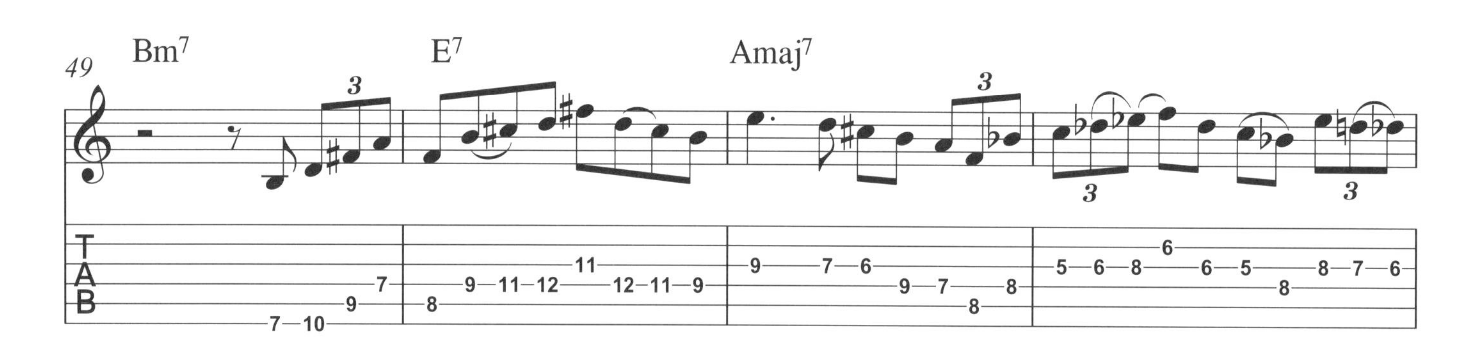
Bm7
E7
Amaj7
49
TAB

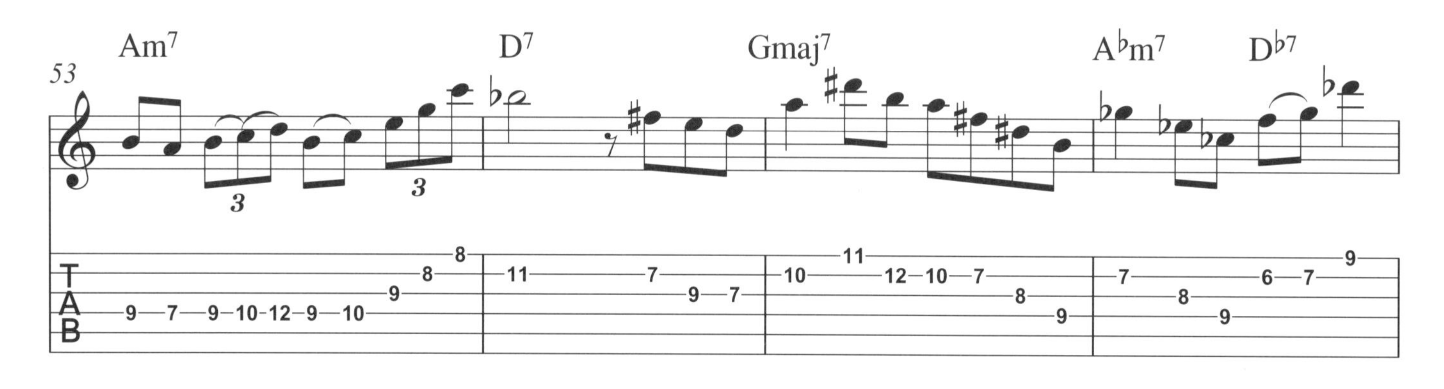
Am7
D7
Gmaj7
A♭m7
D♭7
53
TAB

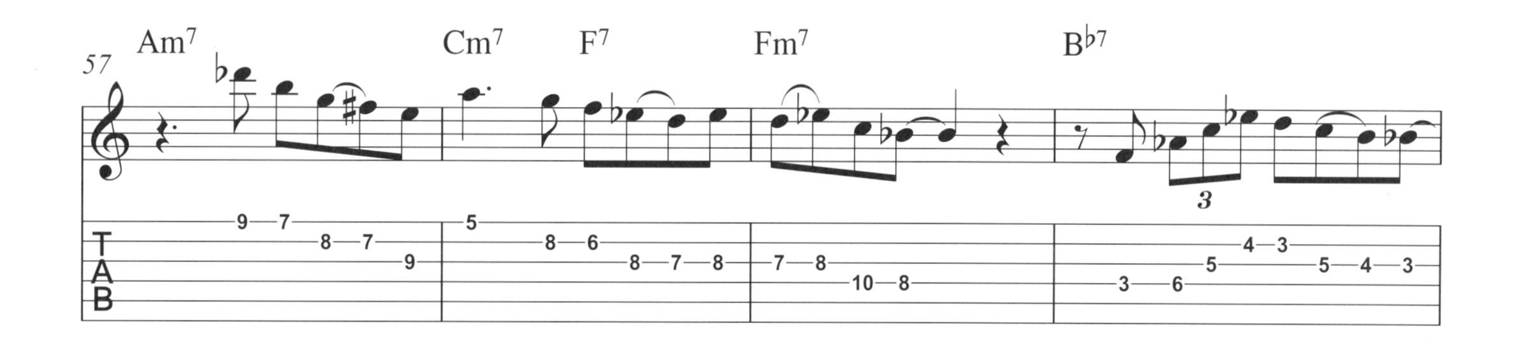
57
Am7
Cm7
F7
Fm7
B♭7

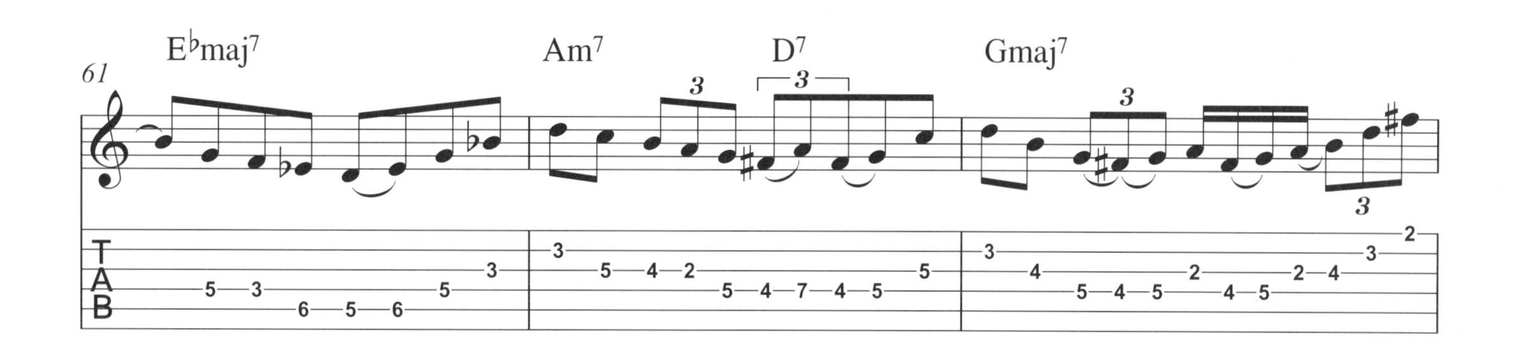
61
E♭maj7
Am7
D7
Gmaj7

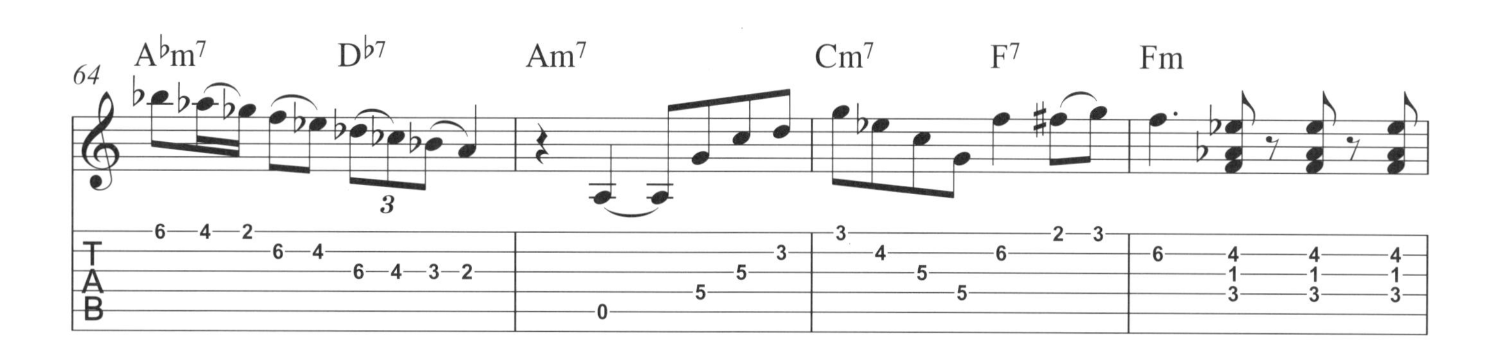
64
A♭m7
D♭7
Am7
Cm7
F7
Fm

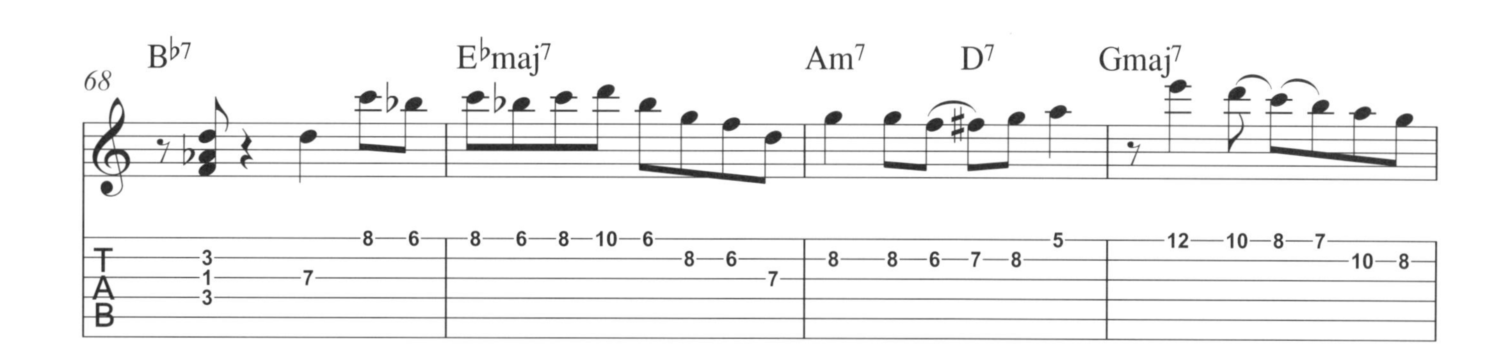
68
B♭7
E♭maj7
Am7
D7
Gmaj7

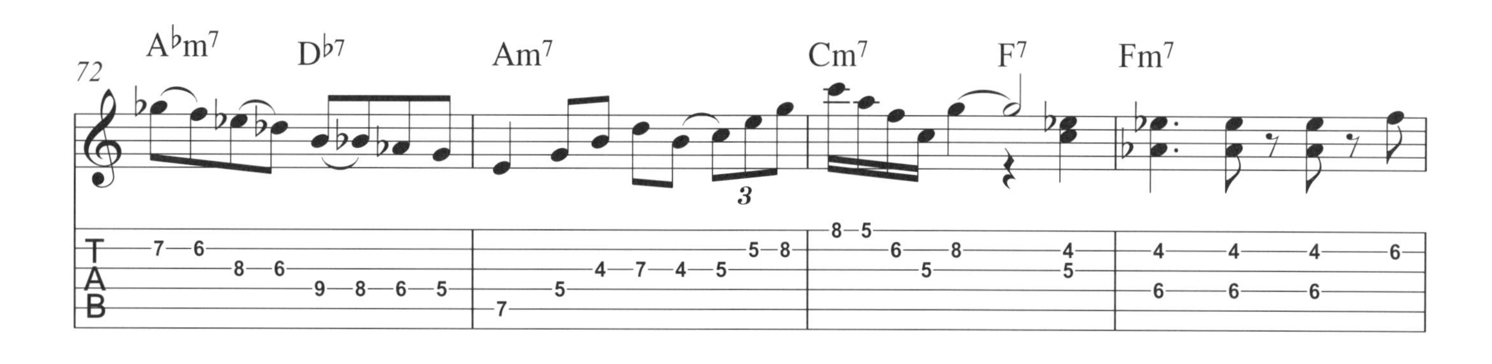
72
A♭m7
D♭7
Am7
Cm7
F7
Fm7

B♭7 E♭maj7 Am7 D7 Gmaj7
76
Bm7 E7 Amaj7
80
Am7 D7 Gmaj7
84
A♭m7 D♭7 Am7 Cm7 F7 Fm7 B♭7
88
E♭maj7 Am7 D7 Gmaj7 A♭m7 D♭7 Am7
93
TAB

Improvisation No.6の分析

このソロは、アルバム中もっともスロー・テンポながら、もっとも忙しく感じるでしょう。他のソロに比べると、音を短く切ってスペースを活かすのではなく、長さを十分に保つ演奏をしています。99.9％もの間、音が鳴っているにも関わらず、リスナーにそれを感じさせず、インプロヴィゼイションの芸術性も損なわれていません。これこそが*Kurt*のメロディック・スタイルの美しさであり、音の多さ、フレーズの速さ、音の高さ、などに決して気をとられることはないでしょう。そこには常にメロディが存在するのです。

この曲には、ここまで取り上げたソロではあまり聞かれなかった要素がいくつかあります。１つめは４度かそれ以上のリープを使ったフレーズです。１、11、12、15、25、27、28小節めでは、わかりやすいリープが確認できるでしょう。また８と22小節めではリープとアルペジオをミックスしたフレーズも聞かれます。これらのリープによって*Kurt*のスケールを基にしたフレーズが、２オクターヴ、またはそれ以上の音域をカヴァーするようになります。

*Kurt*のメロディック・センスは、すでに最初のブルージーなフレーズから発揮されています。そしてこのフレーズで終わることなく、続く２、３小節めのジャジーなラインで解決させています。３、４小節めでは、メロディから引用したフレーズが登場しますが、オリジナルそのままではなく、たくさんの装飾と、彼自身の味つけがなされています。

メロディの引用だけでなく、*Kurt*自身のモティーフも５小節めに登場します。この３音ヴォイシングのラインは15と17小節めでも使われ、ソロ全体を通じての統一感を演出しています。他にも、22小節めの最初の２拍で使われる下行ラインは、少し変化して26小節めの３、４拍めでも使われています。

本書をとおして、*Kurt*がいかにピアニストから影響を受けてきたかを見てきましたが、このソロでは偉大なギタリスト、*Joe Pass*からの影響も見て取れます。とくに顕著なのは５、６、９小節めのような、メロディとコードが交互に出てくるようなラインでしょう。この手法はとてもギター的であり、*Kurt*がトラディショナルな奏法など、幅広い影響を独自のモダンな解釈で消化していることがわかるでしょう。

13、14、21、22、26小節めでは、奇数音によってグルーピングされたフレーズが見られます。通常バラードでは16分音符によるダブル・タイム・フィールで演奏されることが多いですが、このようなグルーピングにより、リズムに緊張感と勢いが生まれます。

最後にソロの終わりの３小節を見てみましょう。ここでは分析すべき多くのことが起きています。まず31小節めではカウンター・ラインが登場します。このラインはトップにB♭音を持続し、その下でスケールが動いていますが、それによってコード・チェンジが表現されていることに注目しましょう。次にバンドによるブレイクと３音ヴォイシングによるアクセントが現れ、続くトライアドで解決します。ここでさらに注目すべき点は、メンバーが互いを聴き合い、演奏で反応し合っていることです。*Kurt*がソロをインプロヴァイズしている最中でも、全員で音楽を創り上げています。

Improvisation No.6

Round Midnightのコード・チェンジによる
カート・ローゼンウィンケルのソロ

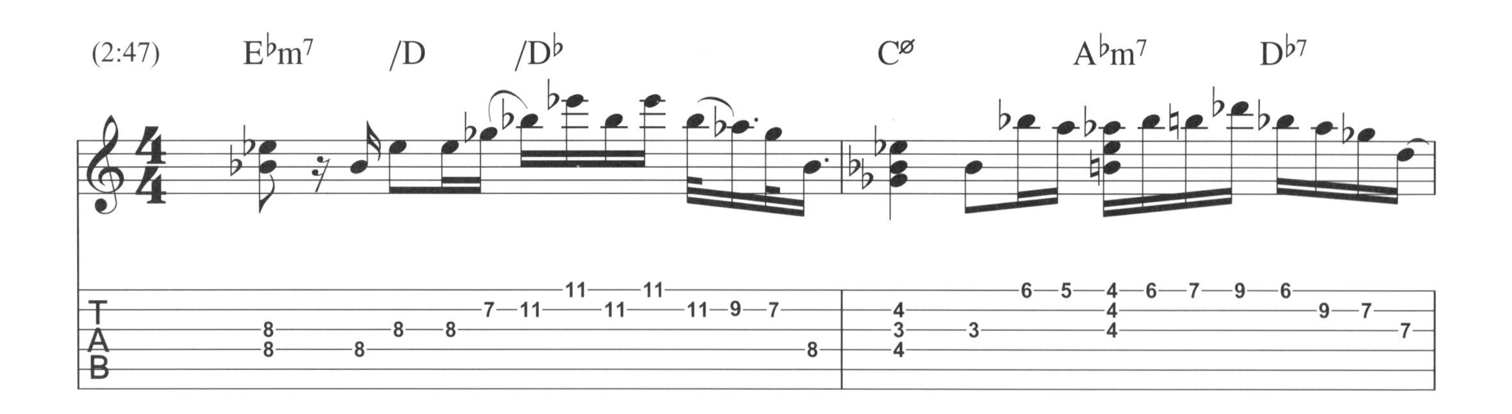

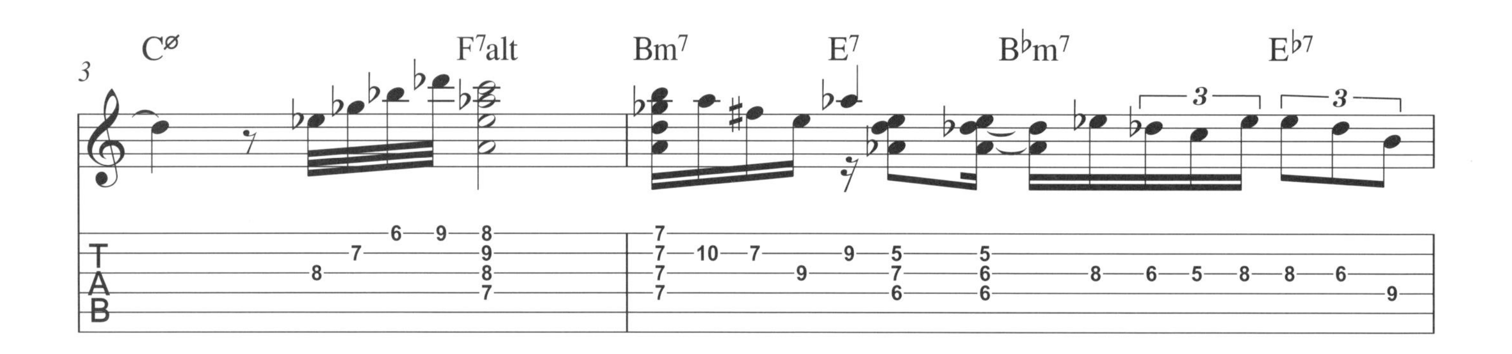

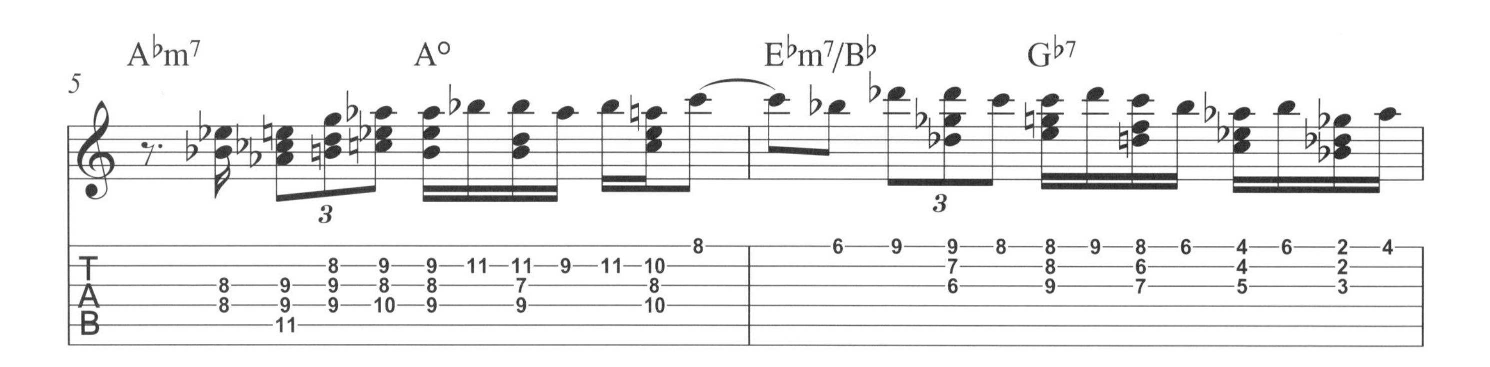

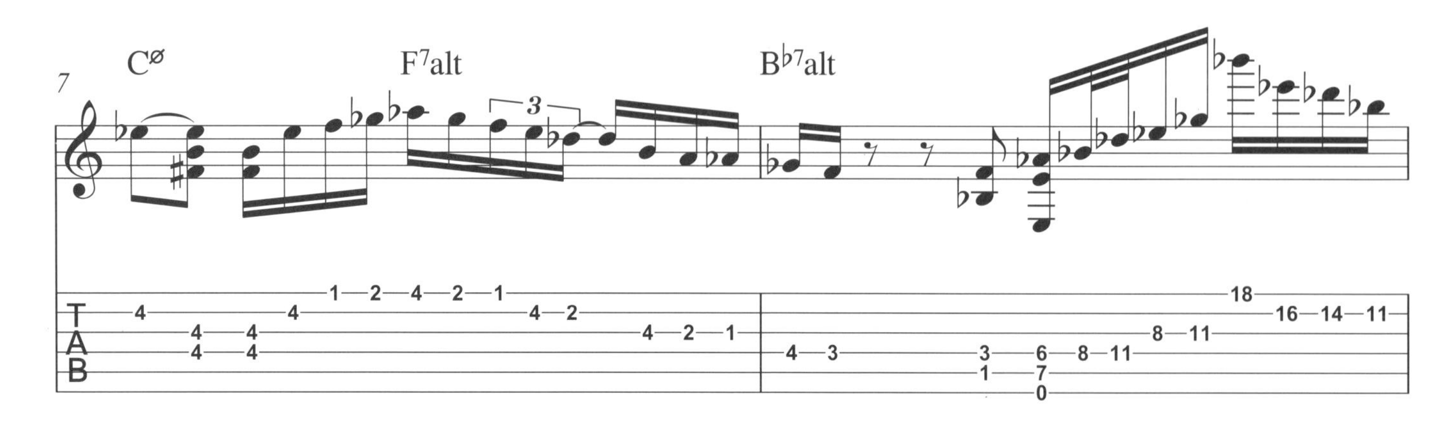

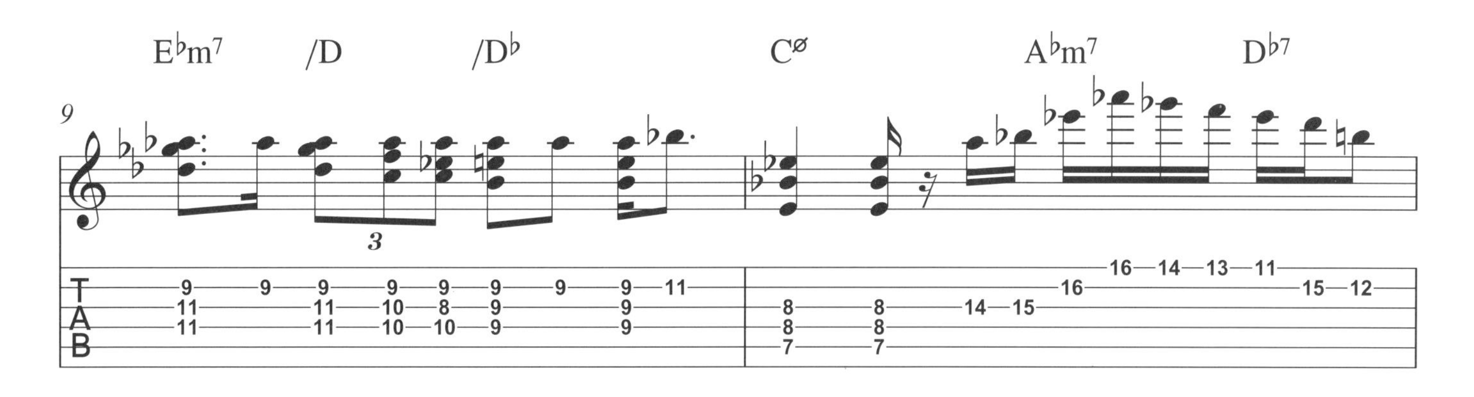
9
E♭m7
/D
/D♭
C⌀
A♭m7
D♭7
TAB

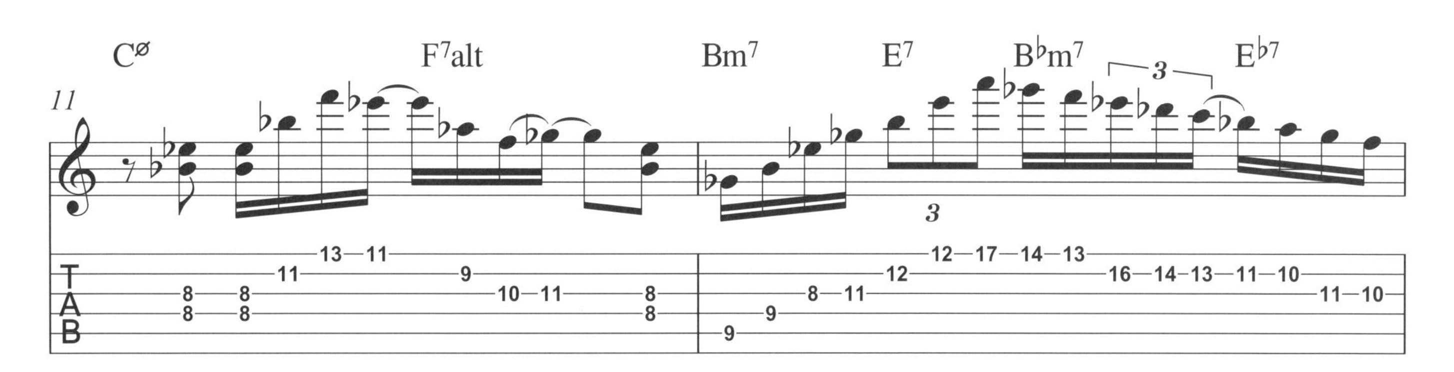
11
C⌀
F7alt
Bm7
E7
B♭m7
E♭7
TAB

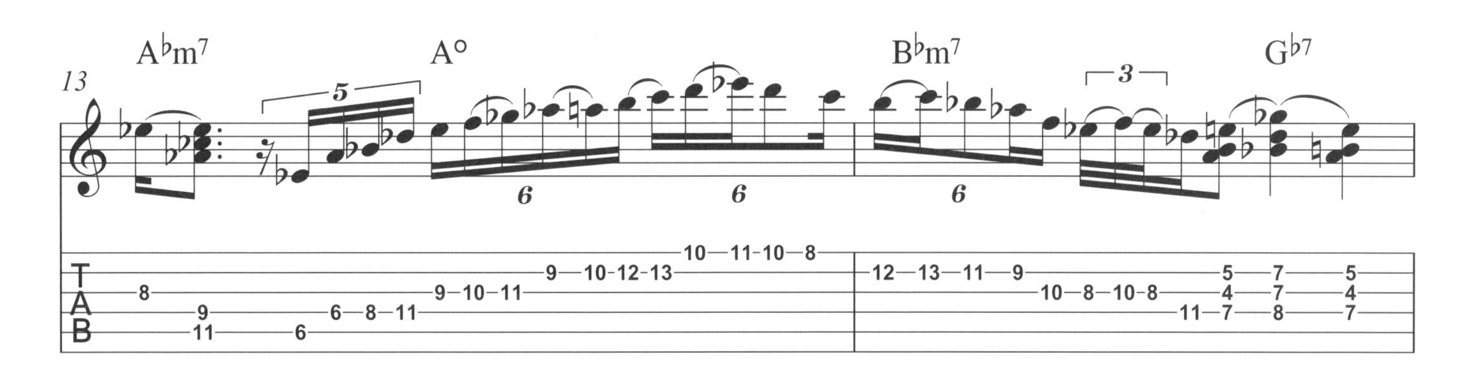
13
A♭m7
A°
B♭m7
G♭7
TAB

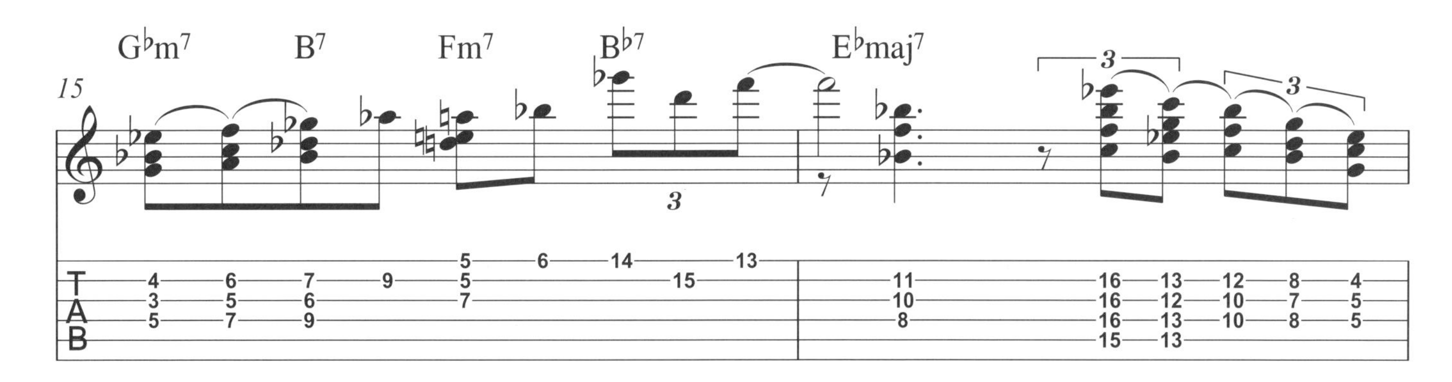
15
G♭m7
B7
Fm7
B♭7
E♭maj7
TAB

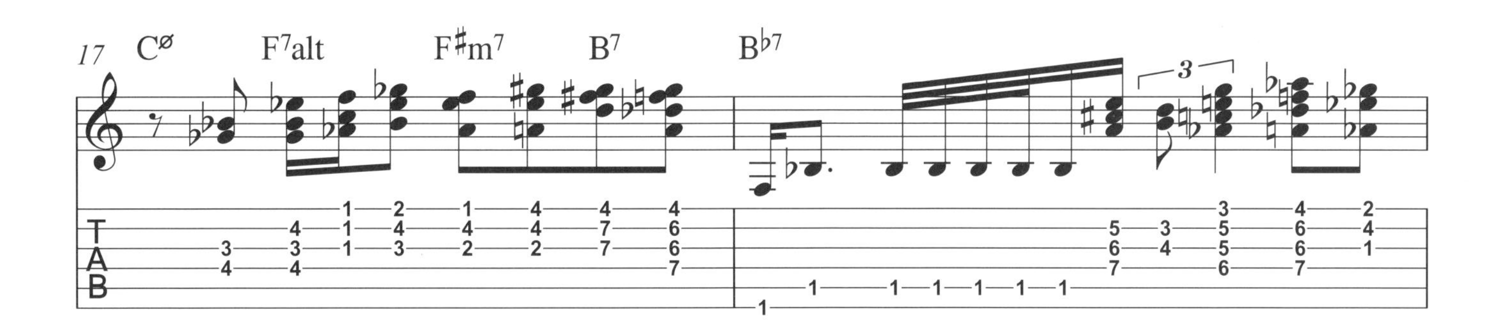
17
C⌀
F7alt
F♯m7
B7
B♭7
TAB

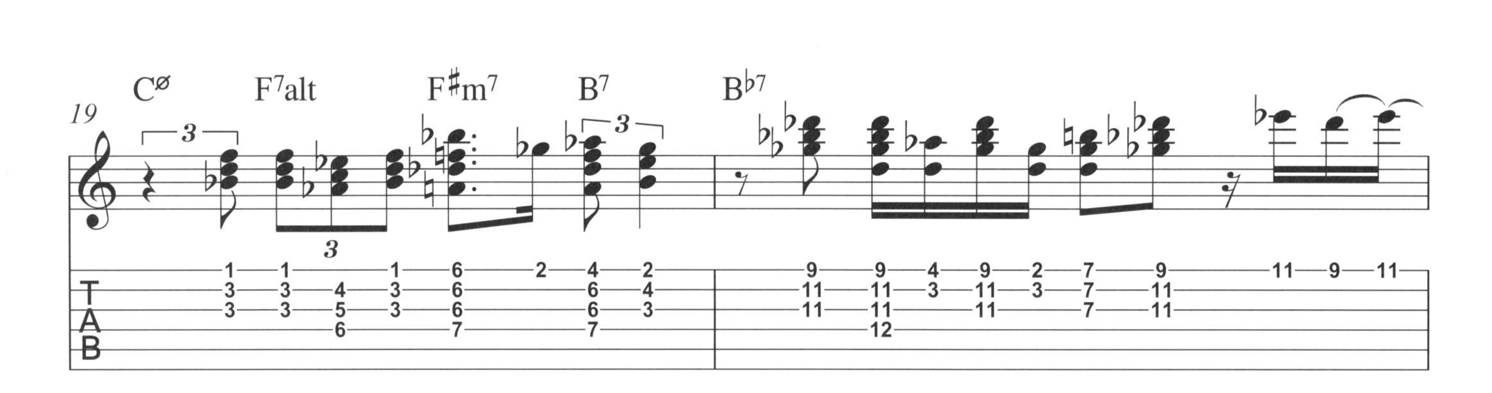

19
Cø
F7alt
F♯m7
B7
B♭7
TAB

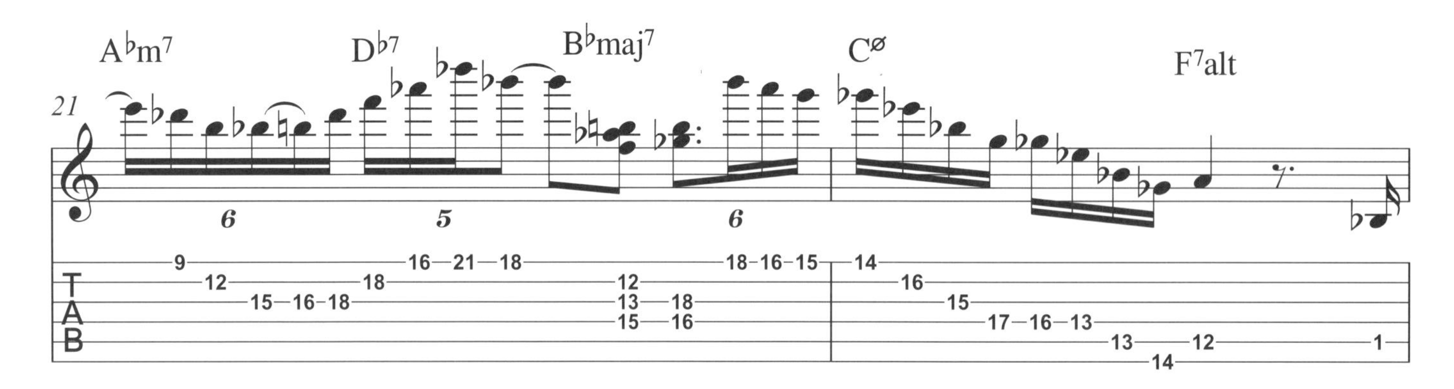

21
A♭m7
D♭7
B♭maj7
Cø
F7alt
TAB

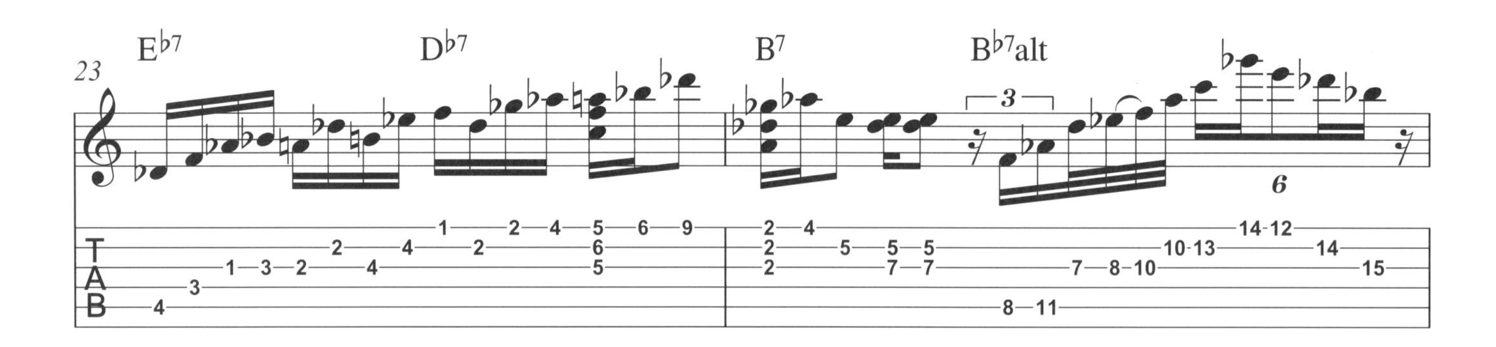

23
E♭7
D♭7
B7
B♭7alt
TAB

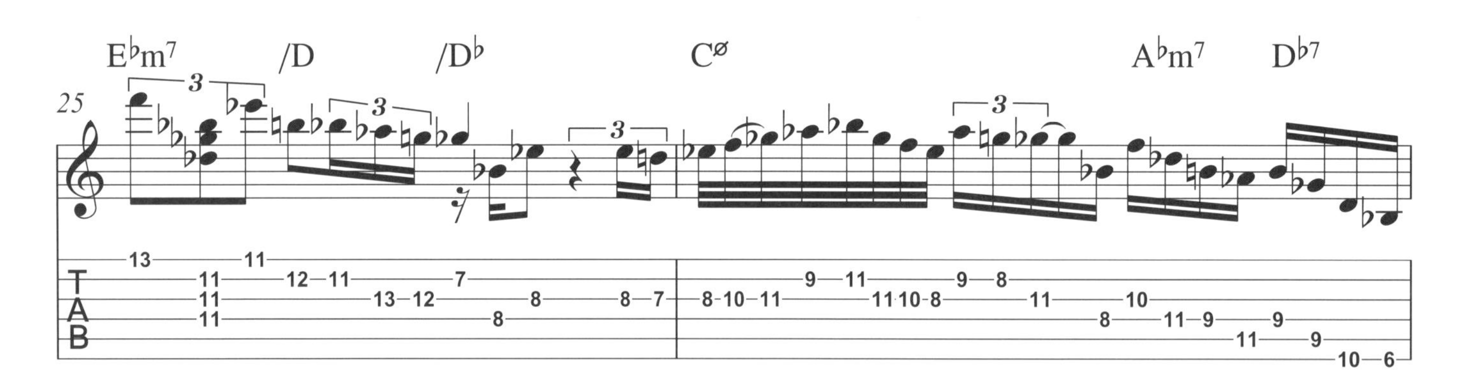

25
E♭m7
/D
/D♭
Cø
A♭m7
D♭7
TAB

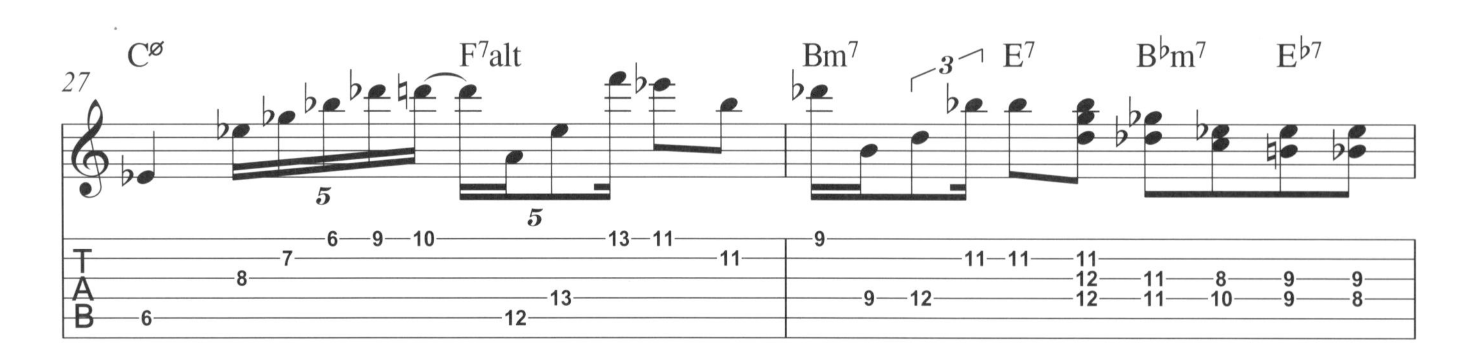

27
Cø
F7alt
Bm7
E7
B♭m7
E♭7
TAB

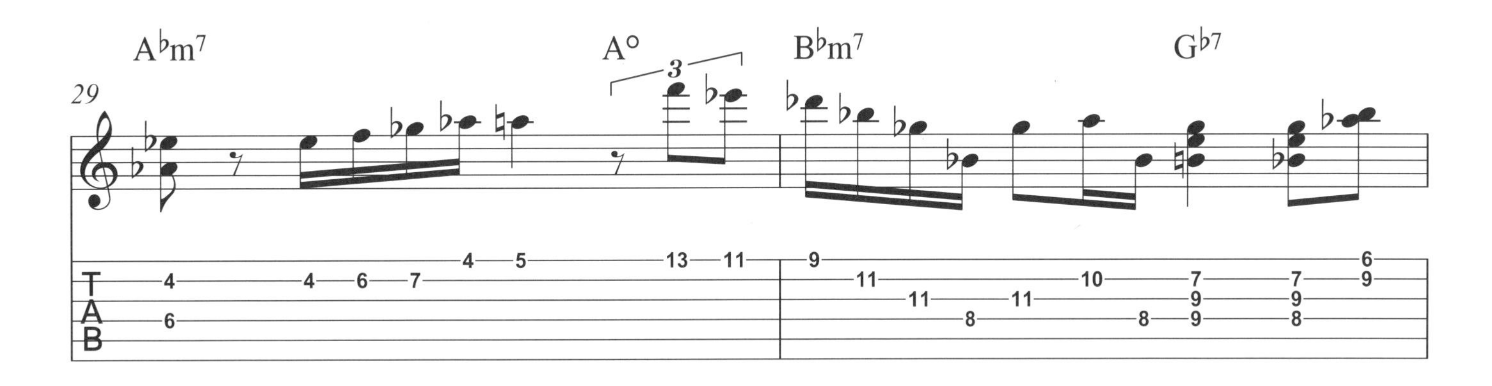
A♭m7
A°
B♭m7
G♭7
29

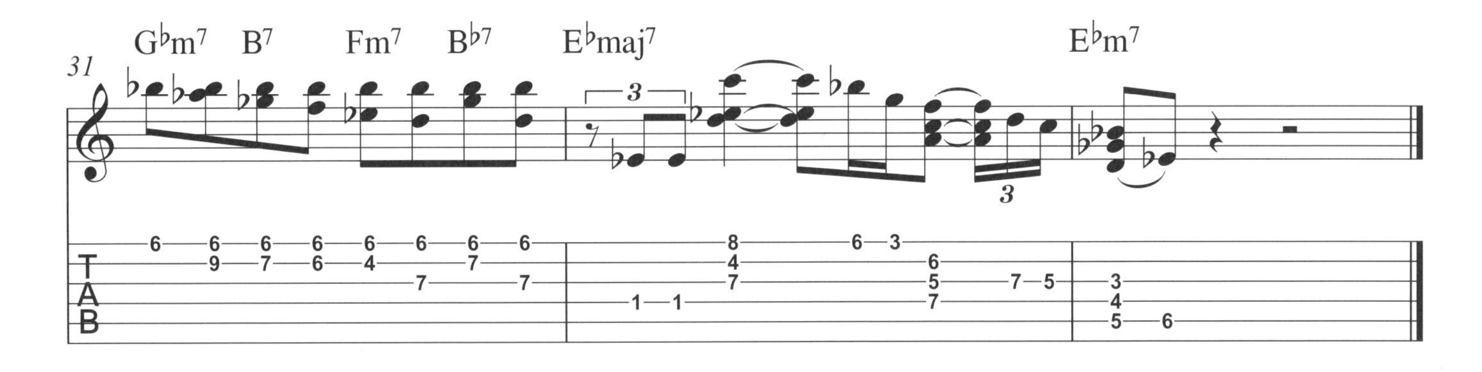
G♭m7
B7
Fm7
B♭7
E♭maj7
E♭m7
31

Improvisation No.7の分析

East Coast Love Affairは、アルバムの中で特に興味深いアプロー チでソロが組み立てられています。*Kurt*自身の書いたこの作品に は、変則的なソング・フォームとコード・プログレッションによって構成されています。ソロは34小節の長さで、A(8小節)、A'(8小節)、B(8小節)、A''(10小節)という構成です。10小節のA''セクションを5小節ずつに分けた場合には、前半の5小節がAセクションを基にしたもの、後半の5小節は新しいコード・プログレッションと分析すること もできます。

全体をとおして、*Kurt*はスケールとアルペジオ・パターンにこだわったソロを構成しています。2小節めのDコード上では、スケールにクロマティック・ノートをふんだんに織り込んだ4音パターンを演奏しています。7小節めでも同じようなパターン をコードに適切な形に調整し、シングル・ノートでコード・チェンジを表現しています。 このパターンはAリディアン・スケールにクロマティック・ノートを加えることで、曲が次のコードへ進もうとする動きをサポートしています。

スケール的なパターン以外にも、難解なコード・チェンジをシンプルかつ音楽的なサウンドとして表現するためのすばらしいメロディック・パターンが随所に見られます。13 小節めの後半と14小節めの前半では、インターヴァリック・アイディア(2音間の距離によるサウンドを活かしたソロのアイディア)を2つの異なるコードに対して発展させています。このインターヴァリック・パターンは、リズミック・ヴァリエーションを伴うことで、アイディアを発展させることができ、12小節めから始まる長いラインを終える際にも使われています。17小節めから18小節めにかけてはダブル・ストップも用いたメロディック・パターンが使われています。33小節めから34小節めにかけて、ソロを終える際にも、インターヴァリック・アイディアが使われています。

このソロでは、*Kurt*のジャズ・ギター・テクニックが遺憾なく発揮されています。16、20、 21、24から26、30〜31小節めに見られるとおり、East Coast Love Affairのようなスロー・テンポの曲では、ミディアム、またはアップ・テンポの曲に比べ、より息の長く、速いラインを選択する傾向にあります。それぞれのラインは、スケール、アルペジオ、インターヴァル、クロマティックなアイディアなど、さまざまなツールを駆使して演奏されています。息の長い速いラインを演奏しているときでも、*Kurt*は決して練習したフレーズやクリシェをくり返し使うことなく、常にバンドとともにその瞬間の音楽を創り出しています。

また、*Kurt*のインプロヴィゼイションは、2小節、4小節という小さな区切りに対して行われているのではなく、34小節のフォーム全体をキャンバスとして使っていることにも注目しましょう。ソロはフレーズからフレーズへとなめらかに流れ、前後のフレーズには自然なつながりがあります。*Kurt*がソロをプレイしながら、先に続くコード・プログレッションを常に聞いていることがうかがえます。このことから、*Kurt*は常に先を見据えてインプロヴァイズしていることがわかります。そして、自身のプレイを記憶し、それを次のプレイに活かすという能力は、優れたインプロヴァイザーの誰もがもっているもので、それ故に、*Kurt*のソロがリスナーの耳に残るのでしょう。

Improvisation No.7

East Coast Love Affairのコード・チェンジによる
カート・ローゼンウィンケルのソロ

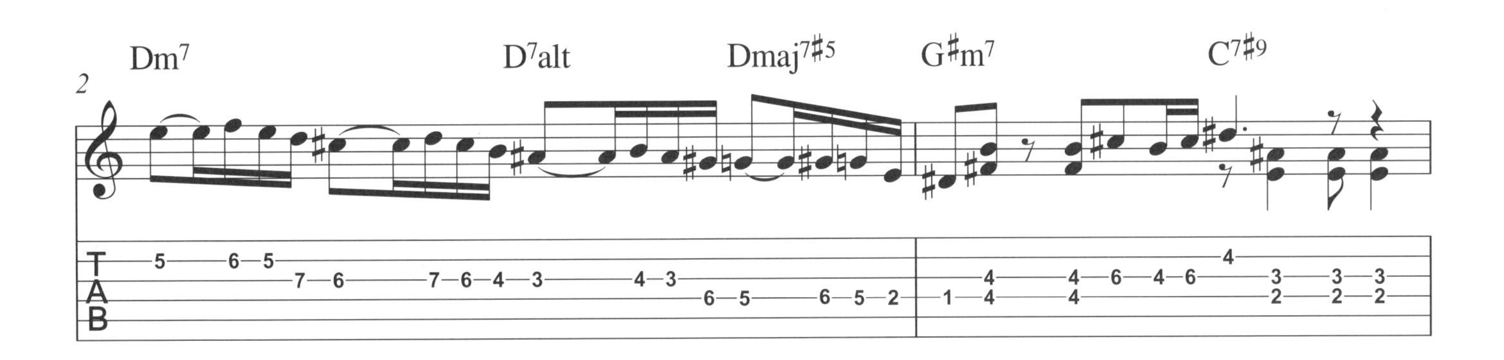

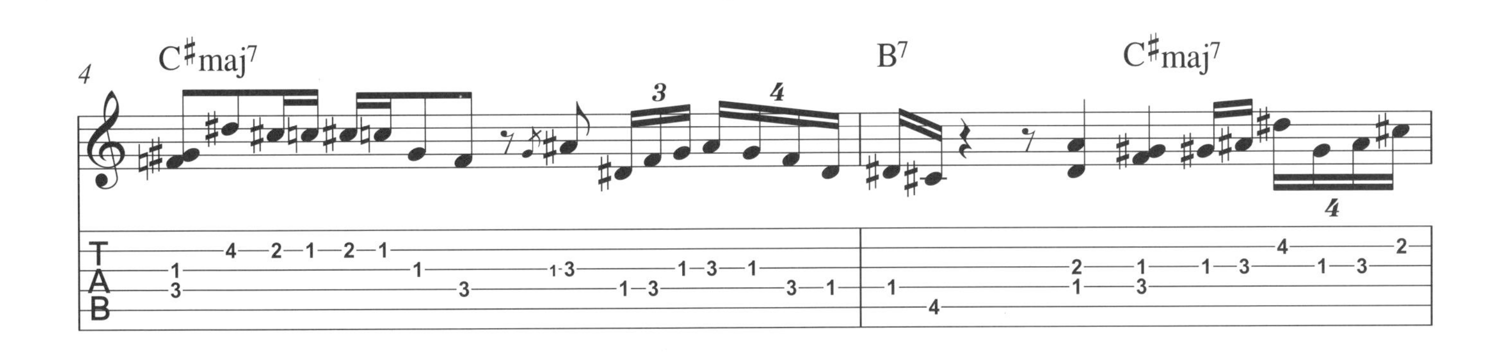

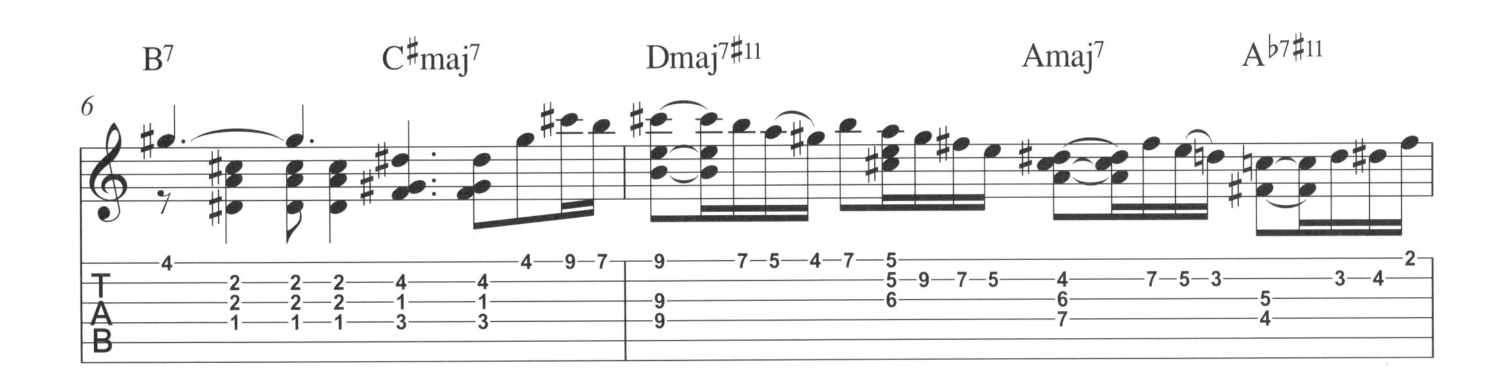

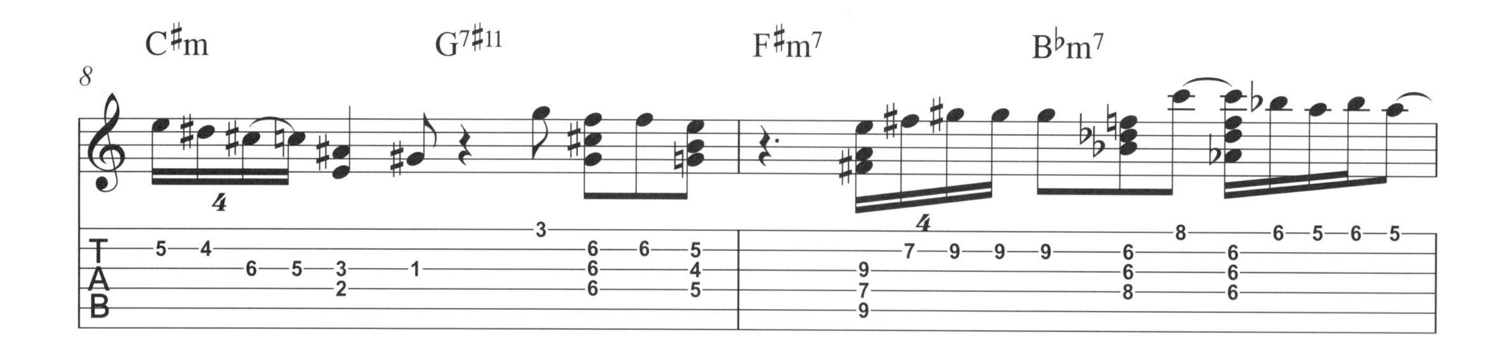
C♯m
G7♯11
F♯m7
B♭m7
8

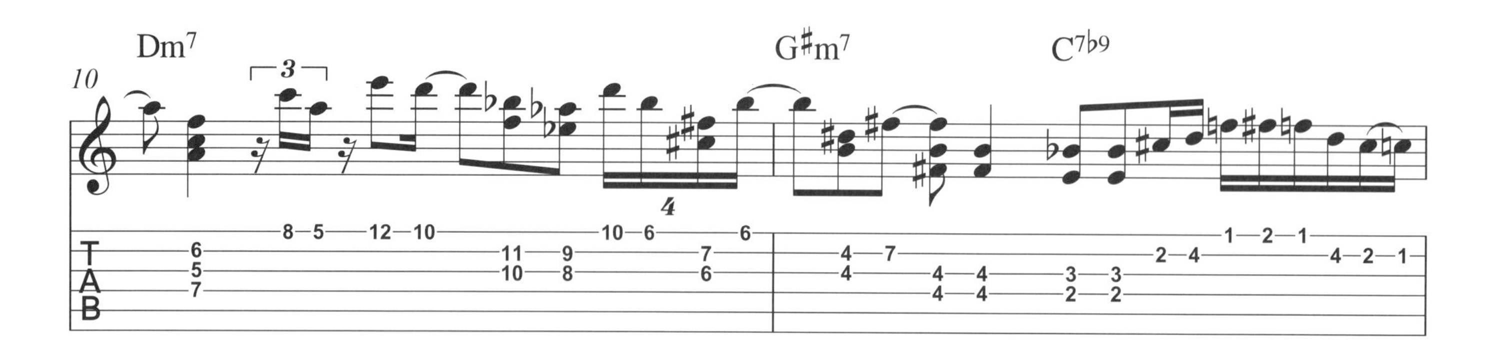
Dm7
G♯m7
C7♭9
10

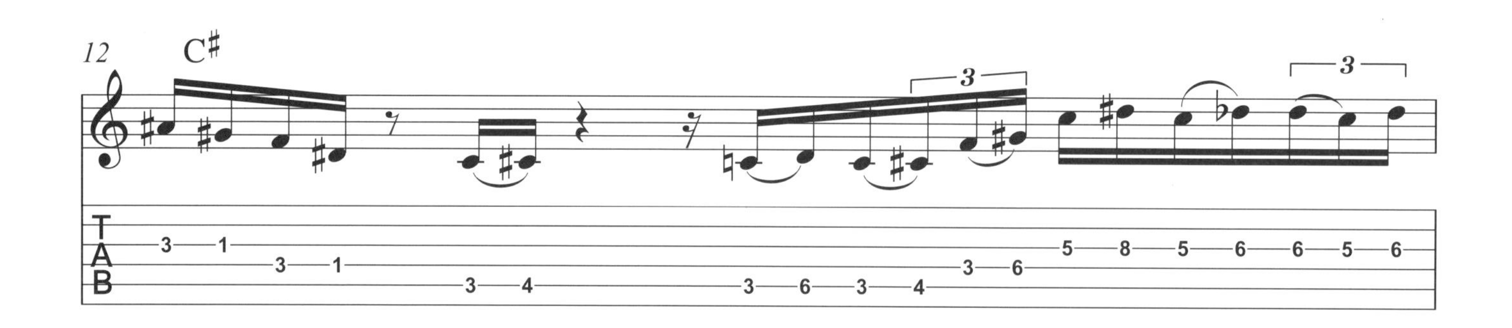
12
C♯

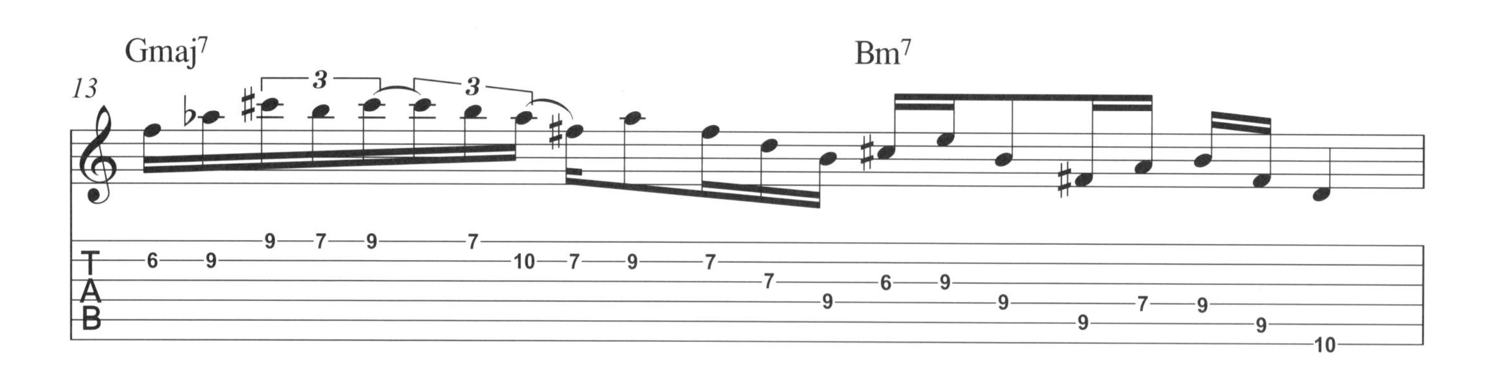
Gmaj7
Bm7
13

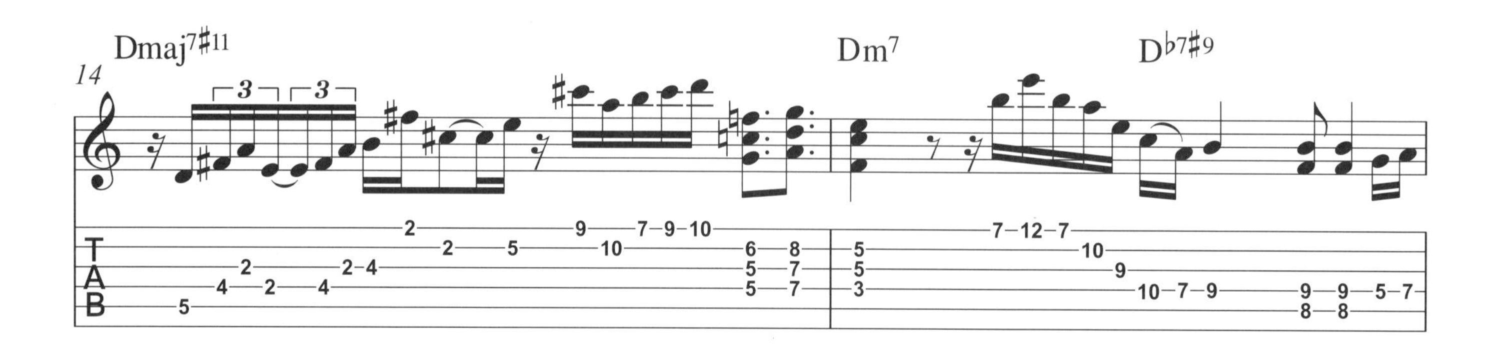
Dmaj7♯11
Dm7
D♭7♯9
14

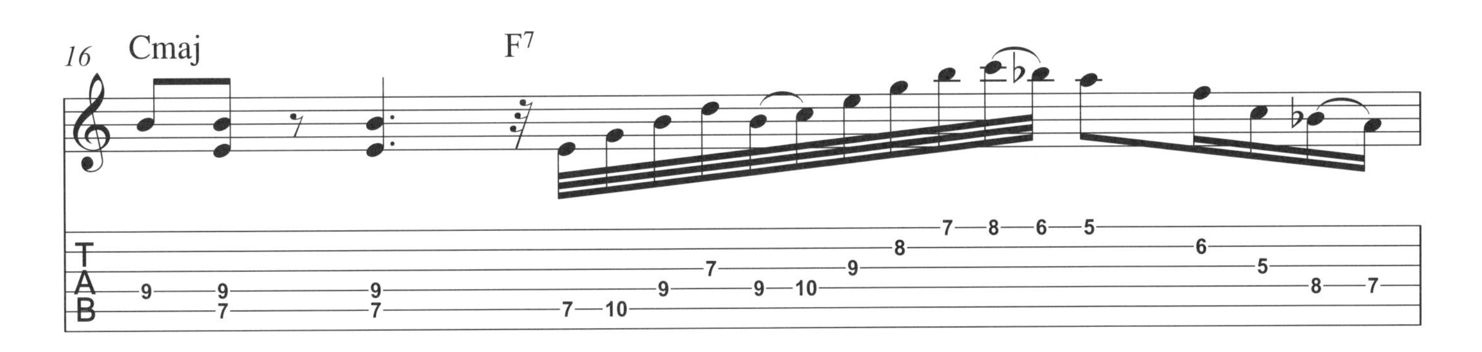
16
Cmaj
F7

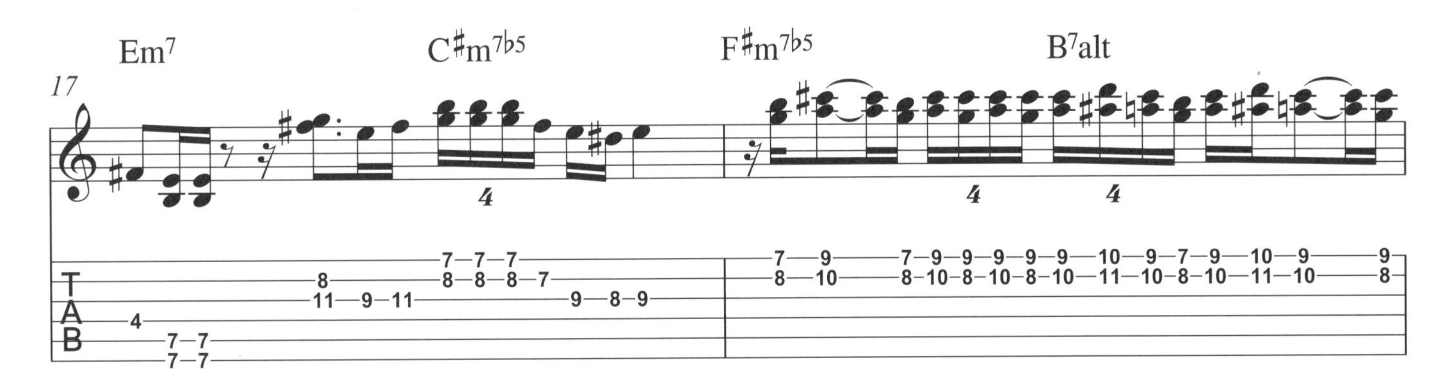
17
Em7
C♯m7♭5
F♯m7♭5
B7alt

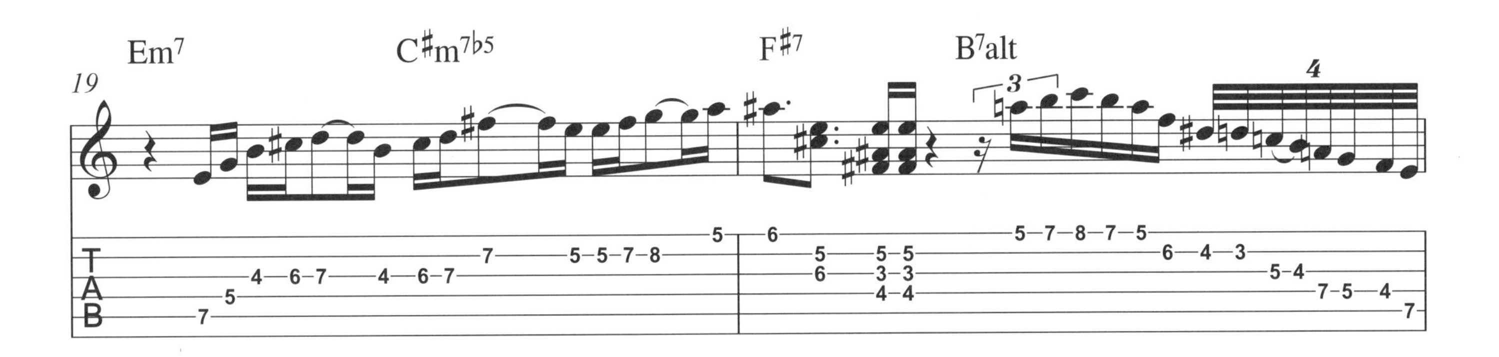
19
Em7
C♯m7♭5
F♯7
B7alt

21
Emaj7
C♯m7

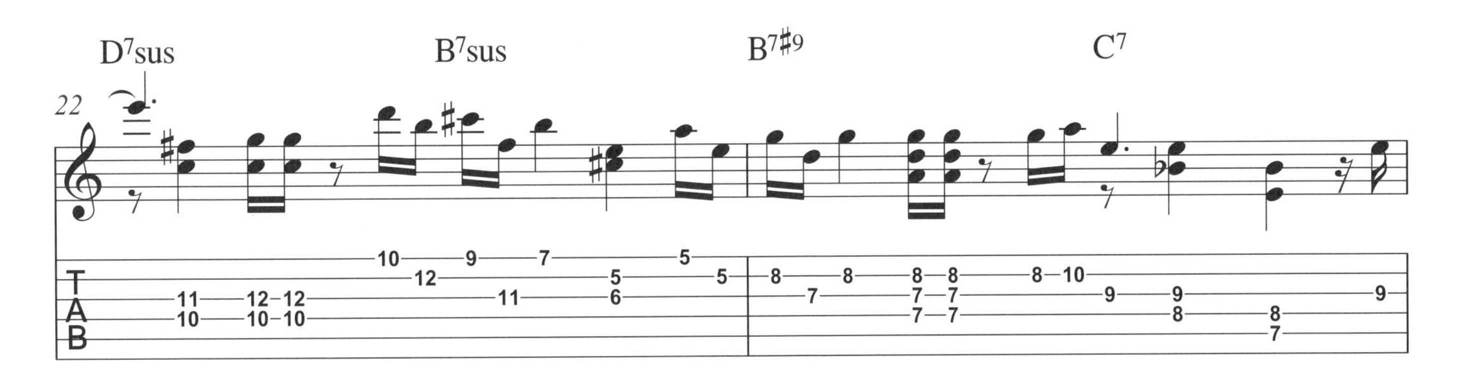
22
D7sus
B7sus
B7♯9
C7

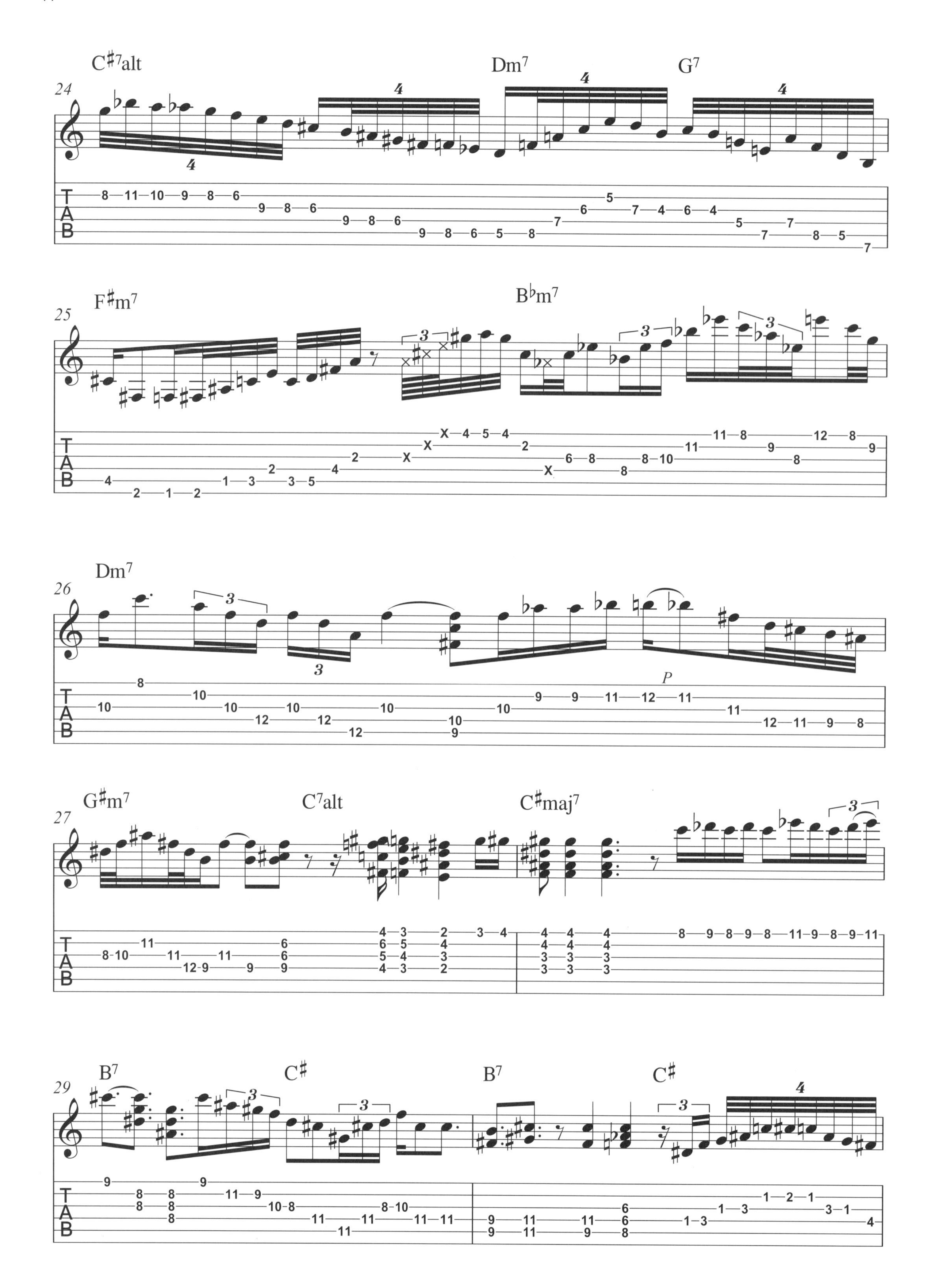
C♯7alt
Dm7
G7
F♯m7
B♭m7
Dm7
G♯m7
C7alt
C♯maj7
B7
C♯
B7
C♯

31
C♯

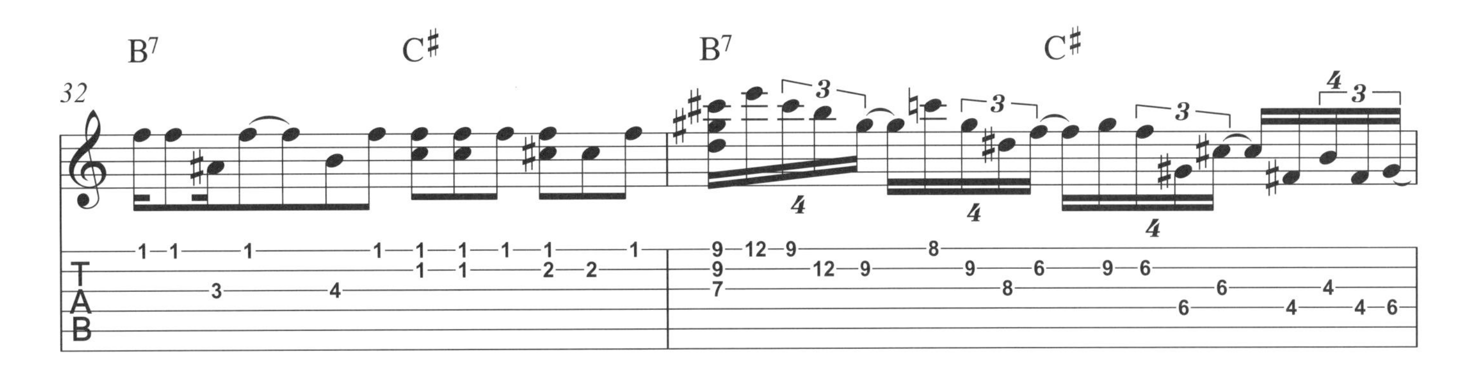
32
B7
C♯
B7
C♯

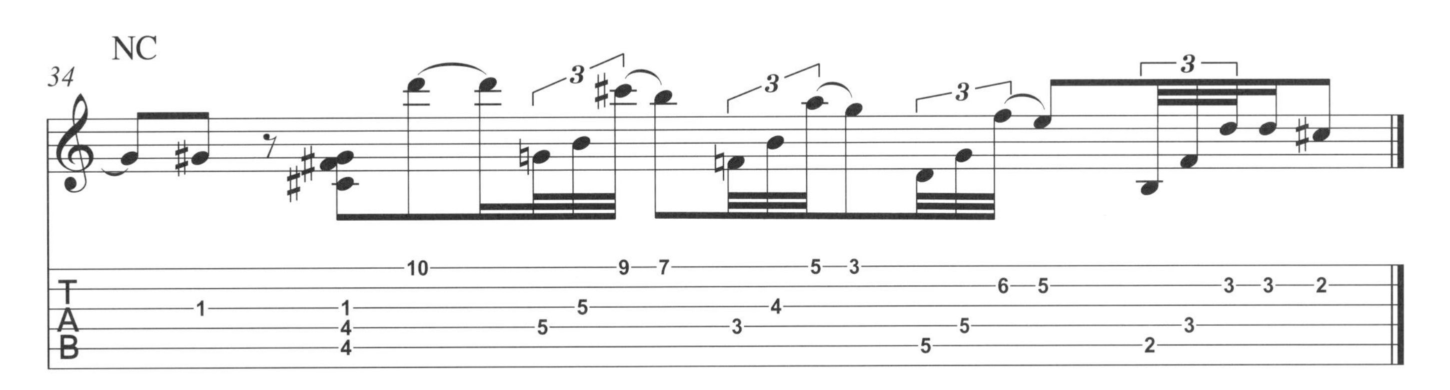
34
NC

Improvisation No.8の分析

B Bluesは、ハーモニー、メロディ、フォームの３つにアナライズを分けて考えましょう。ソロはA（21小節）、A（21小節）、コーダ·セクション（４小節）の３つからなり、Aセクションの内部はさらに４小節、６小節、11小節に分かれます。Aセクション内部の第１セクションと第３セクションは同じコード·プログレッションから始まりますが、第３セクションではより発展したプログレッションに変化しています。コーダは第１セクションの冒頭と同じコード·プログレッションです。

*Kurt*のコード·プレイは、他のソロと似たようなアプローチをしています。B Bluesでは、１、11、32、40、43小節めで、D7の３－７－１ヴォイシングを用いています（11小節めは３－７ヴォイシング、40小節めはGmaj7に対して使用）。3rdと7thのトライトーンと7thとルートのアッパー·クラスターによるヴォイシングを、パーカッシヴにプレイすることで、ビバップ·ピアニストの要素を感じさせています。

曲の全体をとおして、さまざまなコードに対し、８分音符や16分音符を使って同じヴォイシングをパーカッシヴに２回ずつ弾きています。１、２、７、８、10～13、16、25、42～44小節めで、このアプローチを聴くことができます。コードをくり返すことで、シングル·ノートのフレーズを導くセットアップ（準備）となり、また、１、８、11小節めのように、リスナーの耳をコードに惹きつけた直後に速いリックを弾くことで驚かせる効果もあります。

２、３、５、12、14～16、25、30小節めでは、ピアノ的なシェル·ヴォイシングが使われています。シェル·ヴォイシングでは、表現したいコードのルート（1st）、3rd、7thを使うことが多いでしょう。しかしながら、３小節めのGmaj7のように、Em7のシェル·ヴォイシングをプレイすることでG6を表現するなど、代理コードを利用する場合もあります。

4thヴォイシング（クォータル·ヴォイシング）の開放的なサウンドは、２、13、14、16、17、25、26、28-30、32、34、43、44小節めで聞くことができます。4thヴォイシングは、トライアドより開放的な響きをもち、シェル·ヴォイシングよりもコード感が希薄なため、サウンドのコントラストをつける意味でも効果的です。

*Kurt*はシングル·ラインのアイディアに焦点を合わせた演奏から始め、その後さまざまなヴォイシングにアイディアの重心を移しているようです。ラインの大半は、３、４、５、６、８、９、11、13小節に見られるようなアルペジオを基礎としたものですが、６、７、22、23小節めではスケール的なアイディアを取り入れています。*Kurt*はコード·プログレッションの輪郭を表現するのに、コードの構成音とスケール·ノートを絶妙に組み合わせています。例えば、３小節めのGmaj7や、13小節めのG7はその好例でしょう。

全体をとおして見ると、このソロがアルバム中でもっとも難易度の高い演奏になっています。*Kurt*の緻密なテクニックとリズム、フレージングの完成度を学ぶよい題材となるでしょう。

Improvisation No.8

B Bluesのコード・チェンジによる
カート・ローゼンウィンケルのソロ

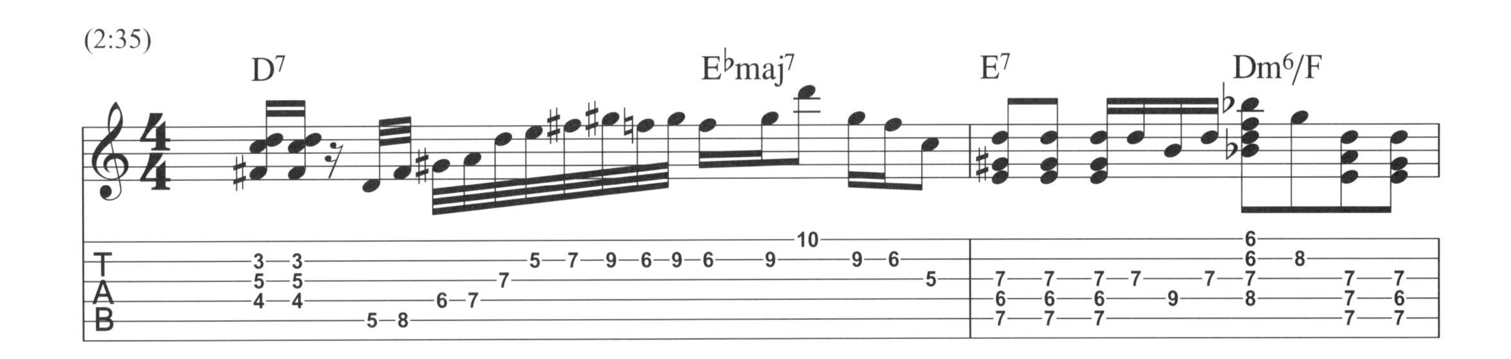

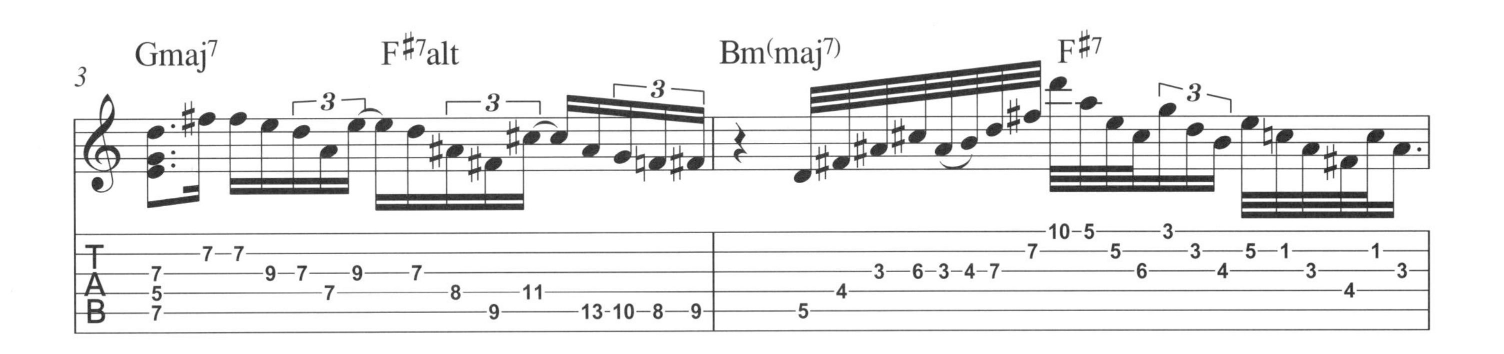

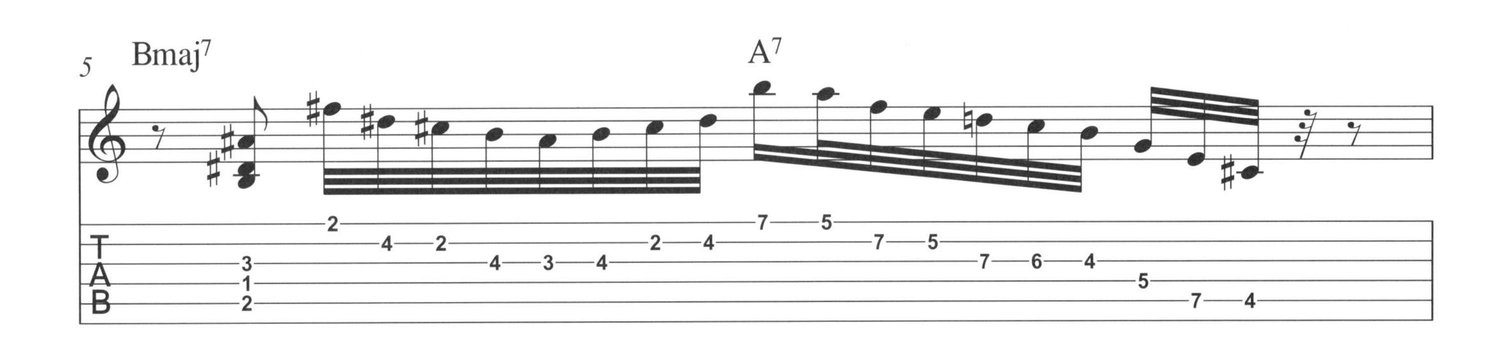

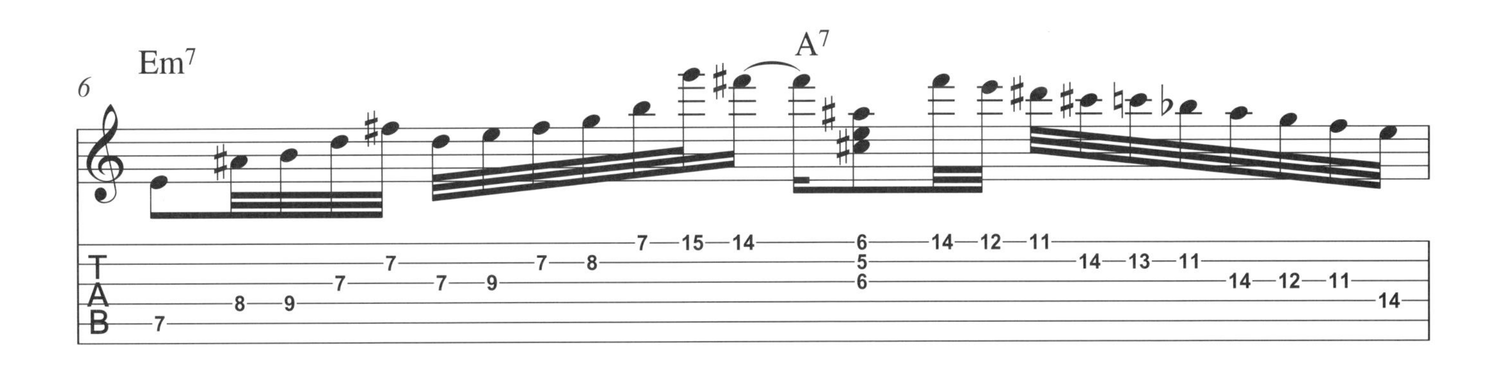

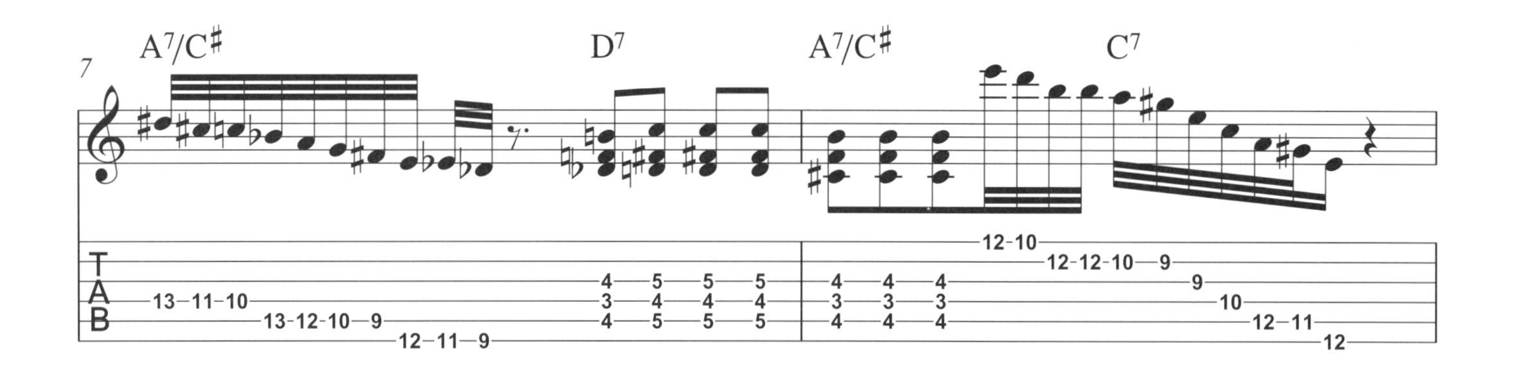
7
A7/C♯
D7
A7/C♯
C7
T
A
B

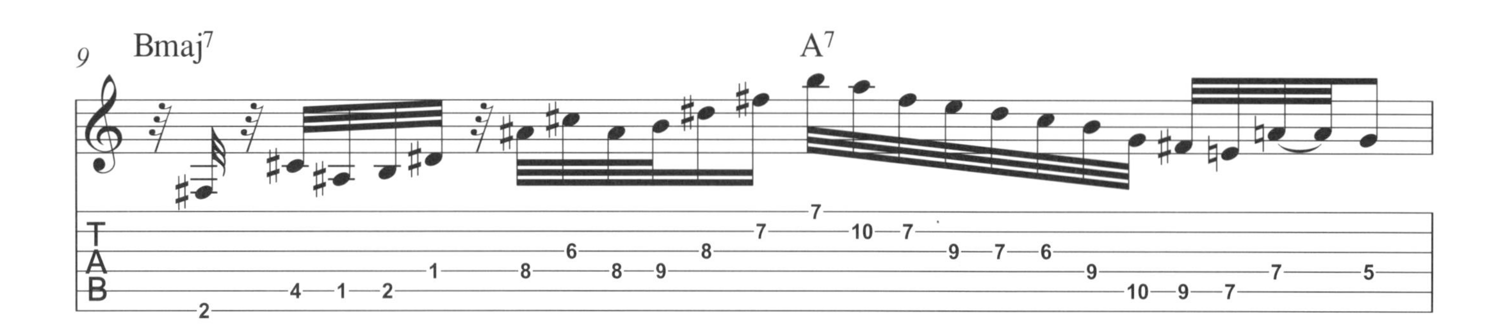
9
Bmaj7
A7
T
A
B

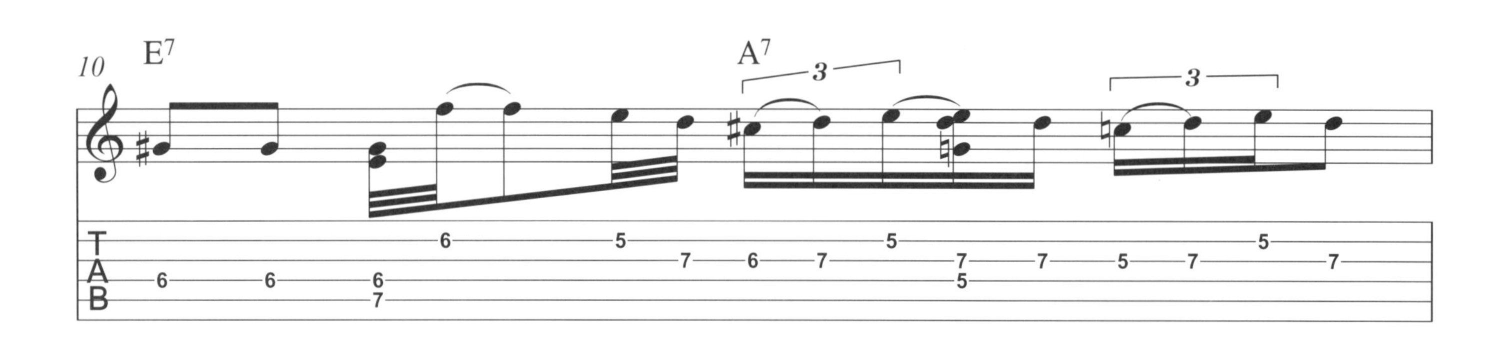
10
E7
A7
3
3
T
A
B

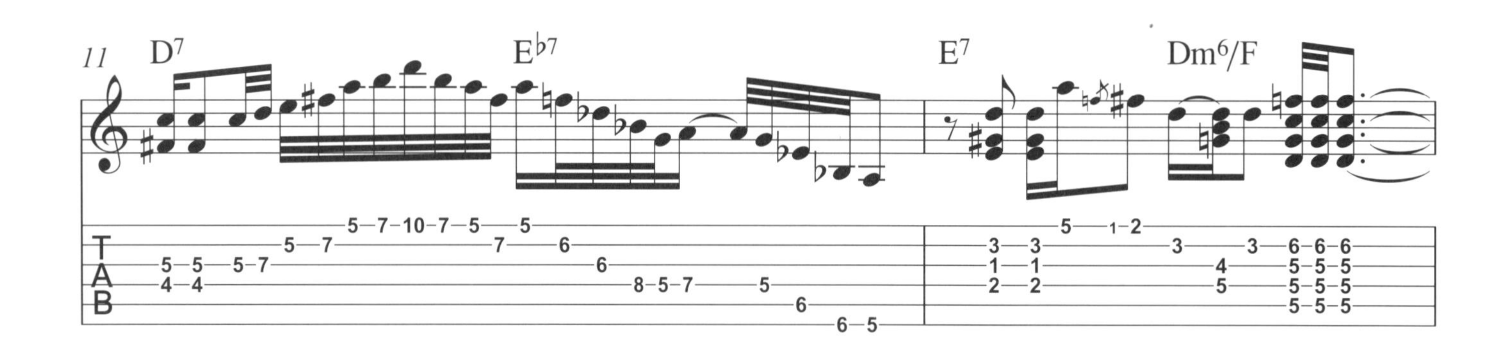
11
D7
E♭7
E7
Dm6/F
T
A
B

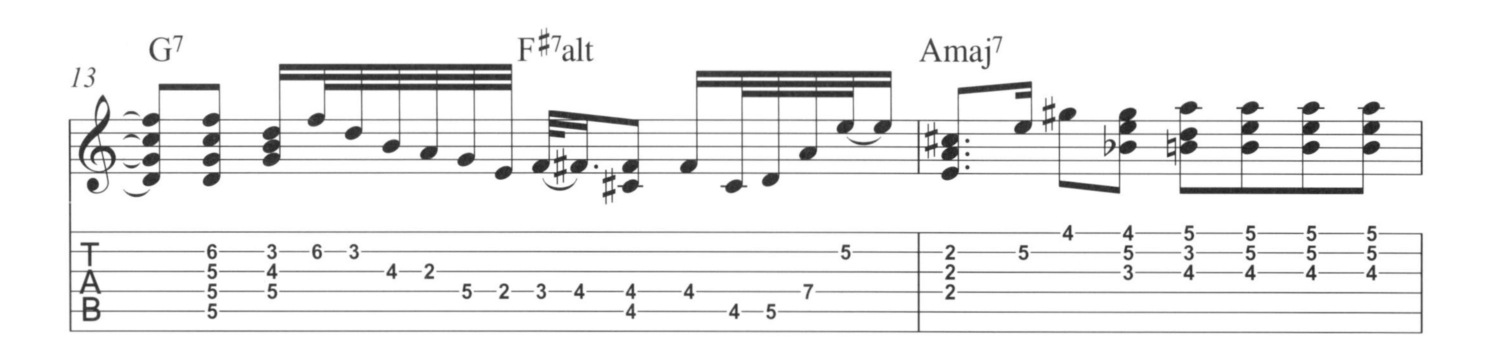
13
G7
F♯7alt
Amaj7
T
A
B

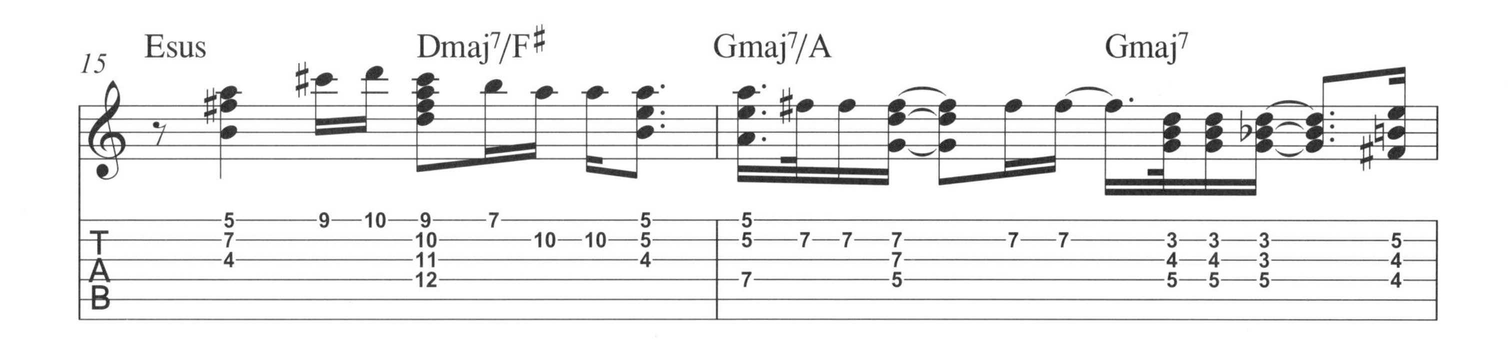
15
Esus
Dmaj7/F♯
Gmaj7/A
Gmaj7
TAB

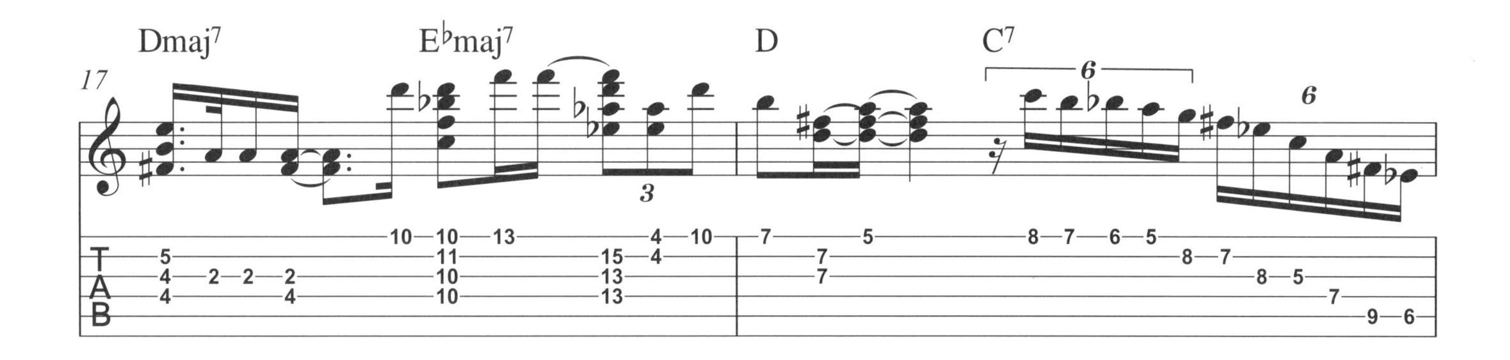
17
Dmaj7
E♭maj7
D
C7
TAB

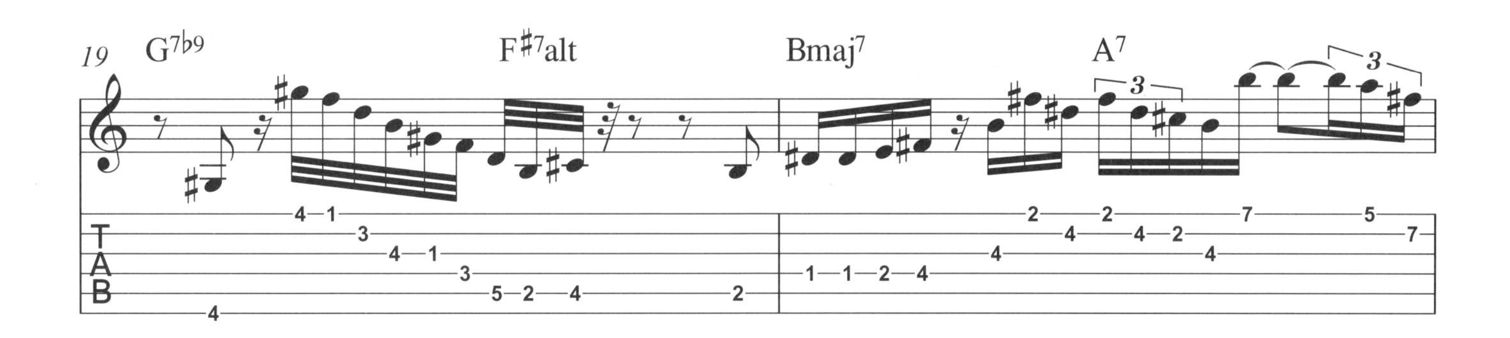
19
G7♭9
F♯7alt
Bmaj7
A7
TAB

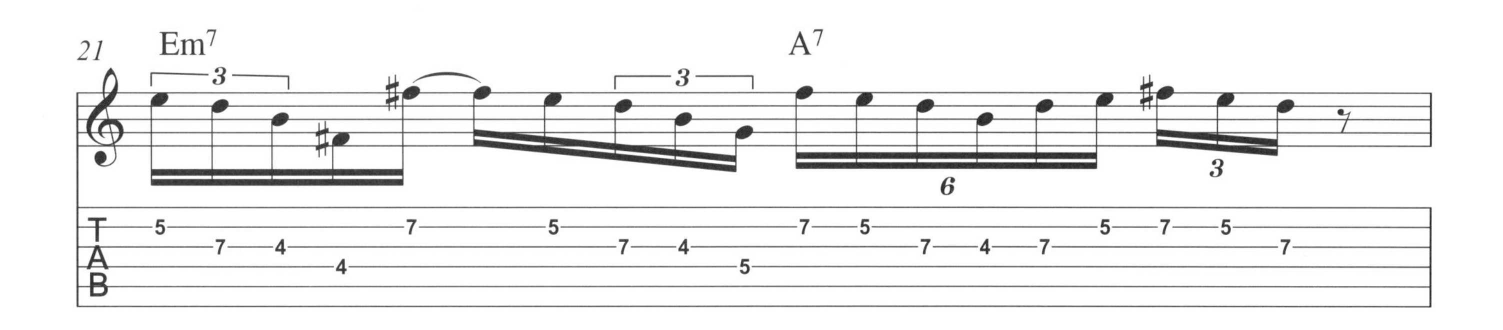
21
Em7
A7
TAB

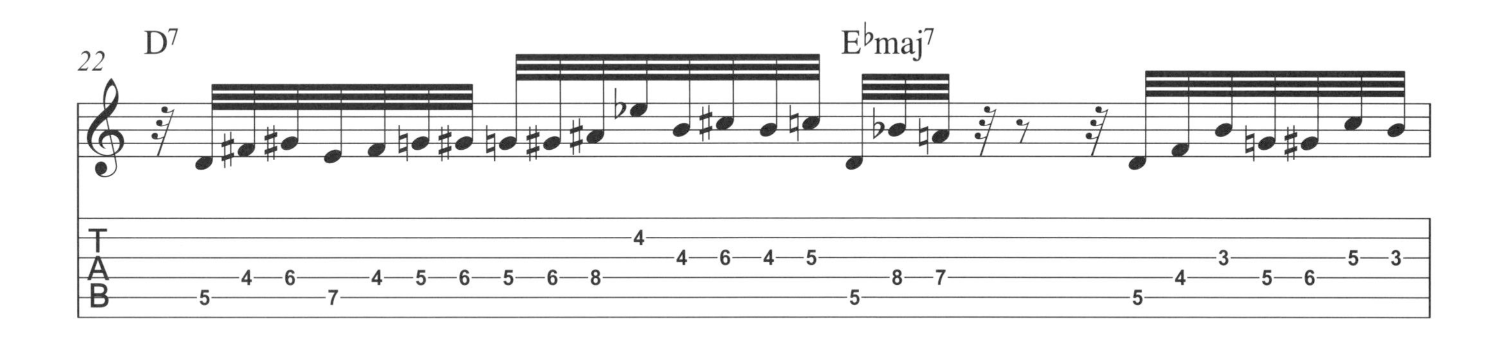
22
D7
E♭maj7
TAB

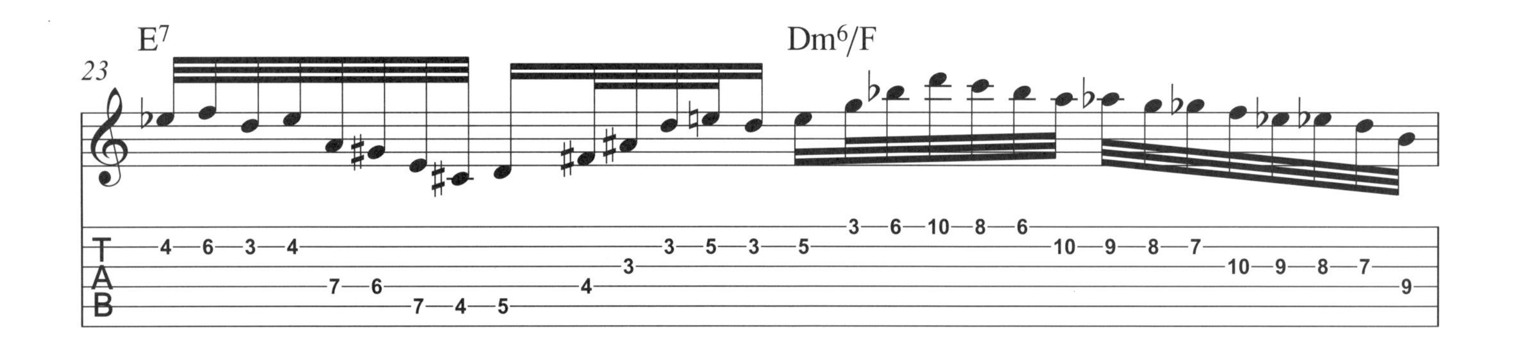
23
E7
Dm6/F

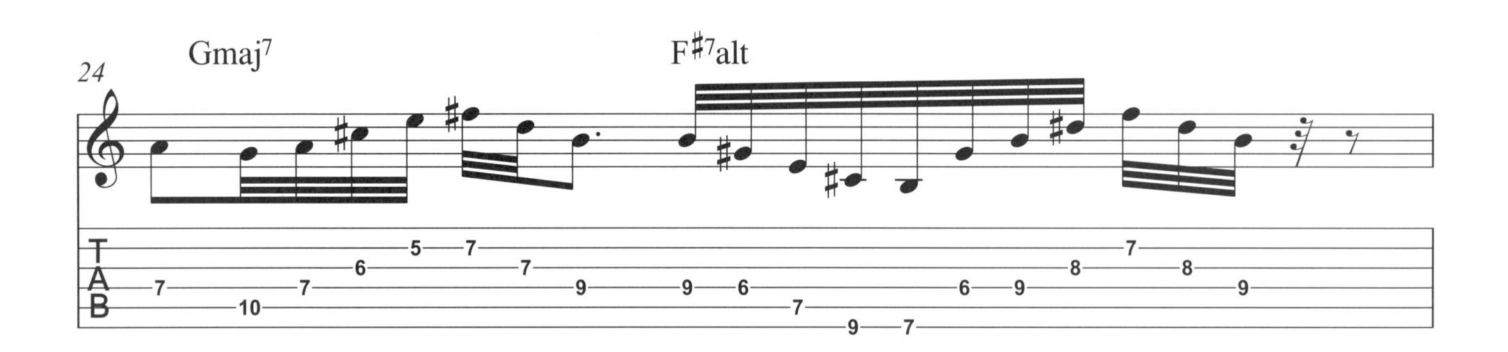
24
Gmaj7
F♯7alt

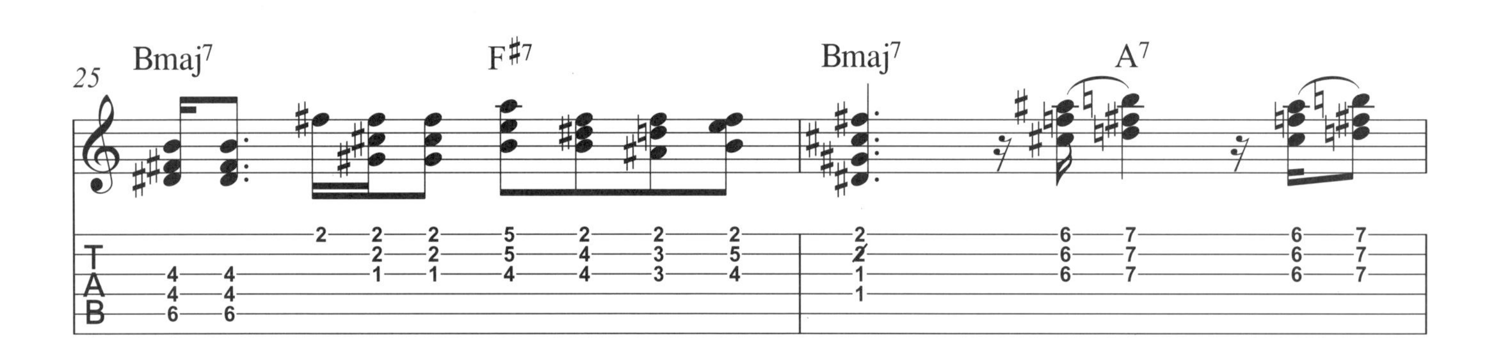
25
Bmaj7
F♯7
Bmaj7
A7

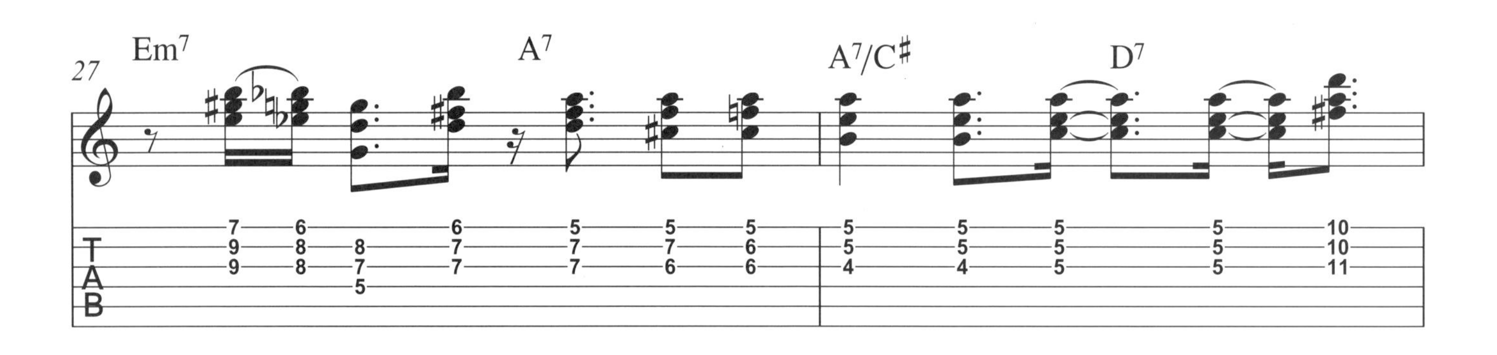
27
Em7
A7
A7/C♯
D7

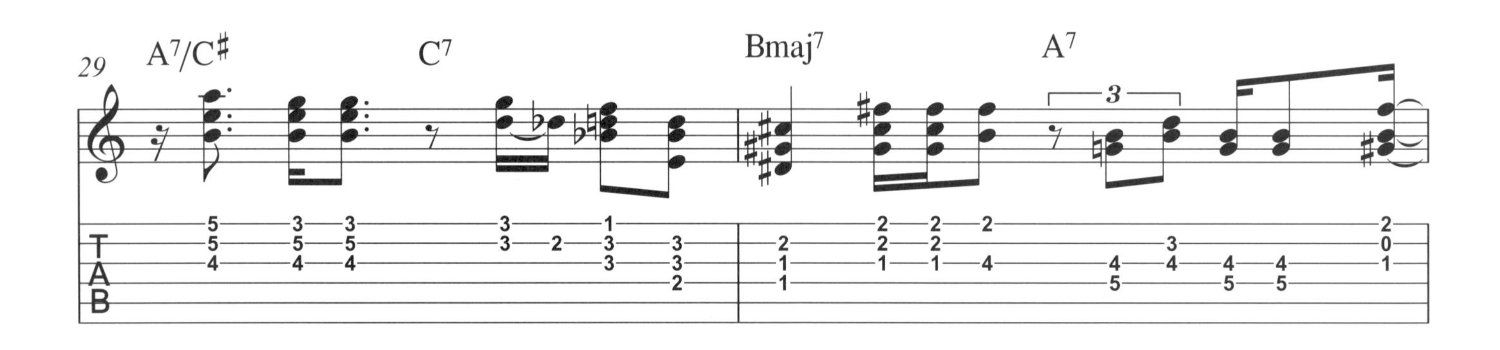
29
A7/C♯
C7
Bmaj7
A7

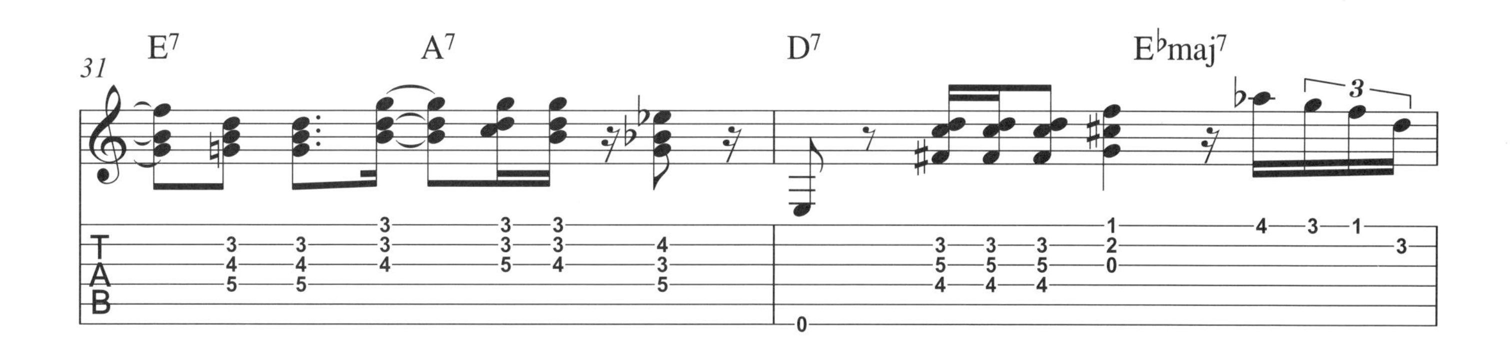
31
E7
A7
D7
E♭maj7

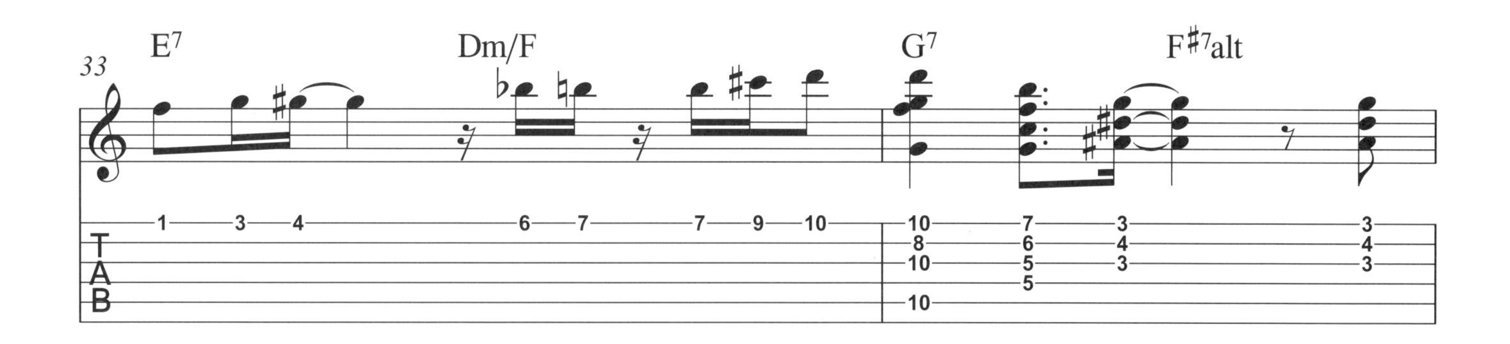
33
E7
Dm/F
G7
F#7alt

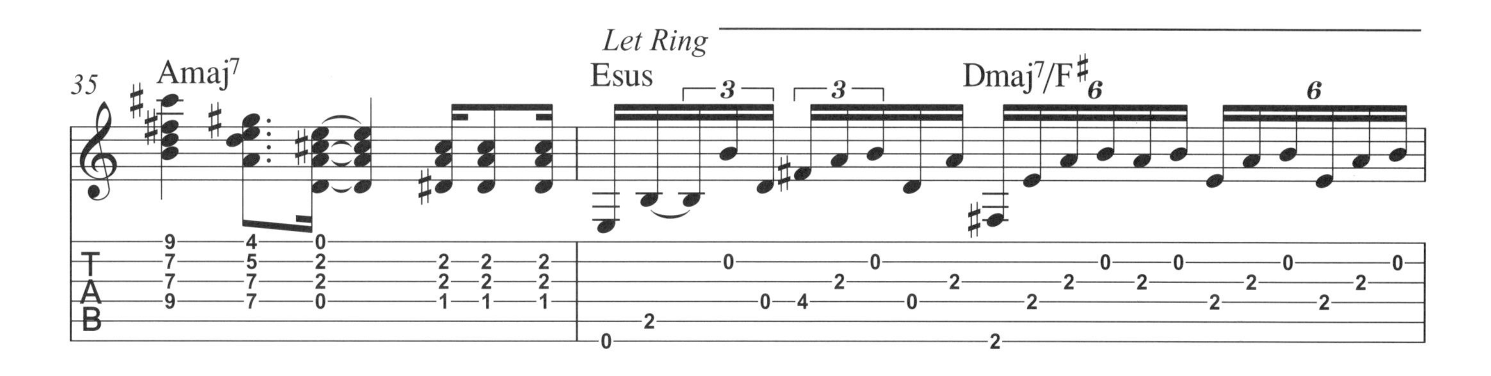
35
Amaj7
Let Ring
Esus
Dmaj7/F#

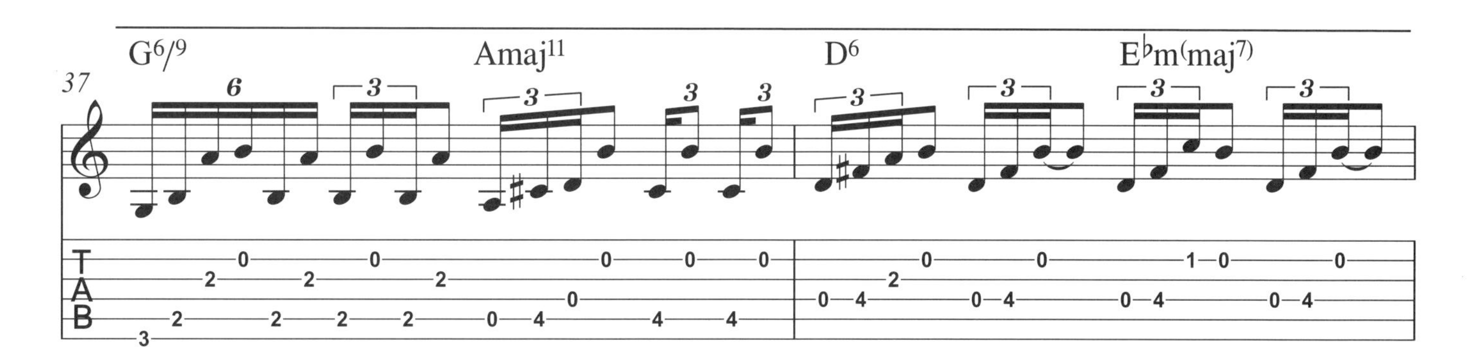
37
G6/9
Amaj11
D6
E♭m(maj7)

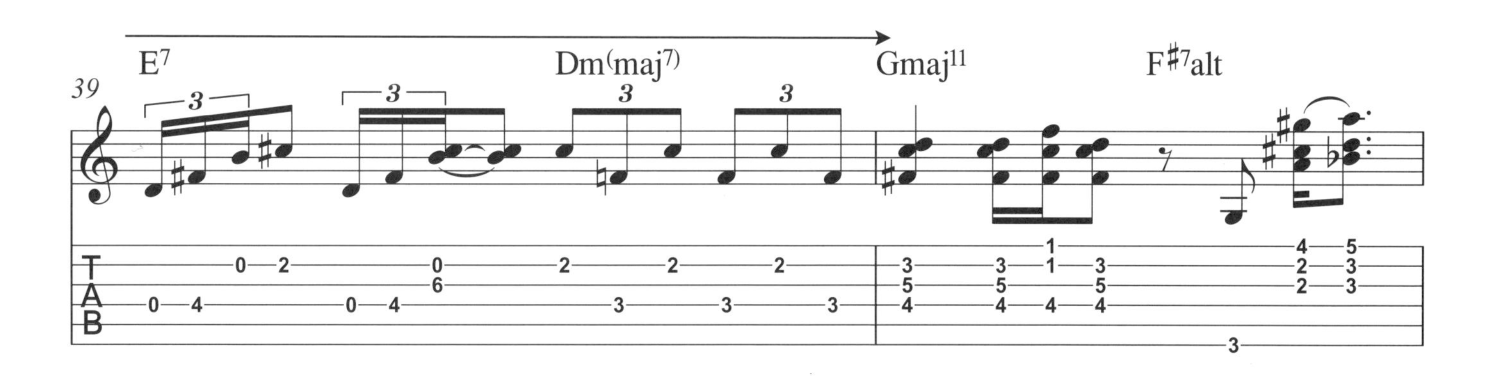
39
E7
Dm(maj7)
Gmaj11
F#7alt

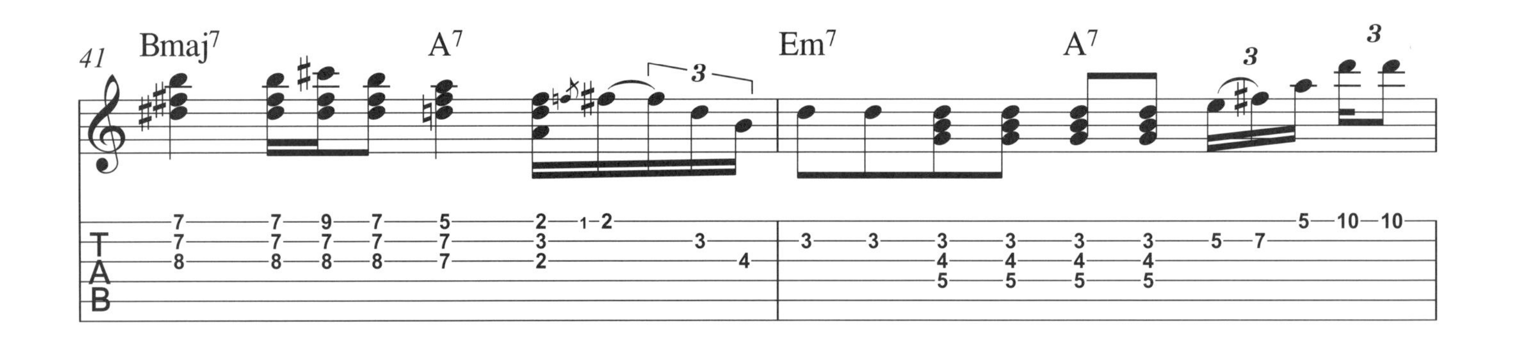
41
Bmaj7
A7
Em7
A7
TAB

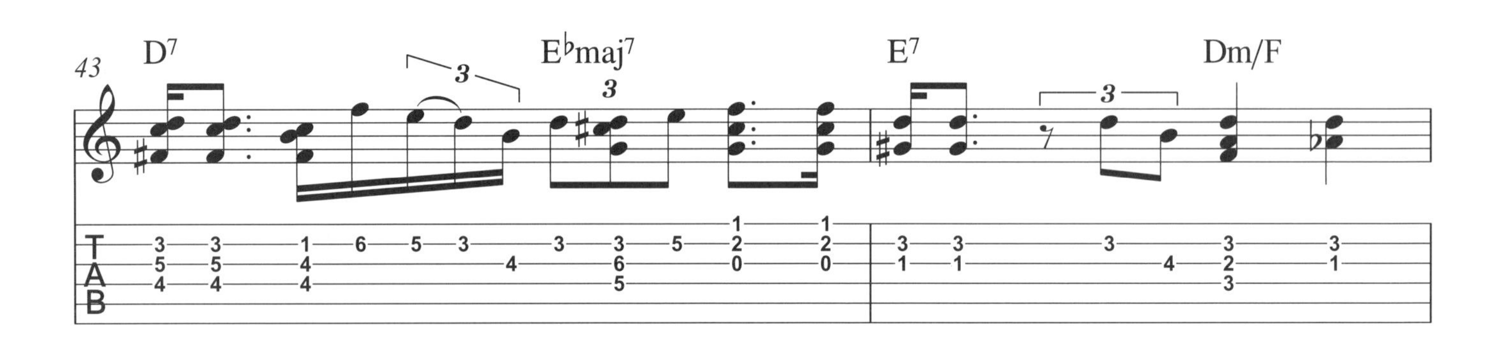
43
D7
E♭maj7
E7
Dm/F
TAB

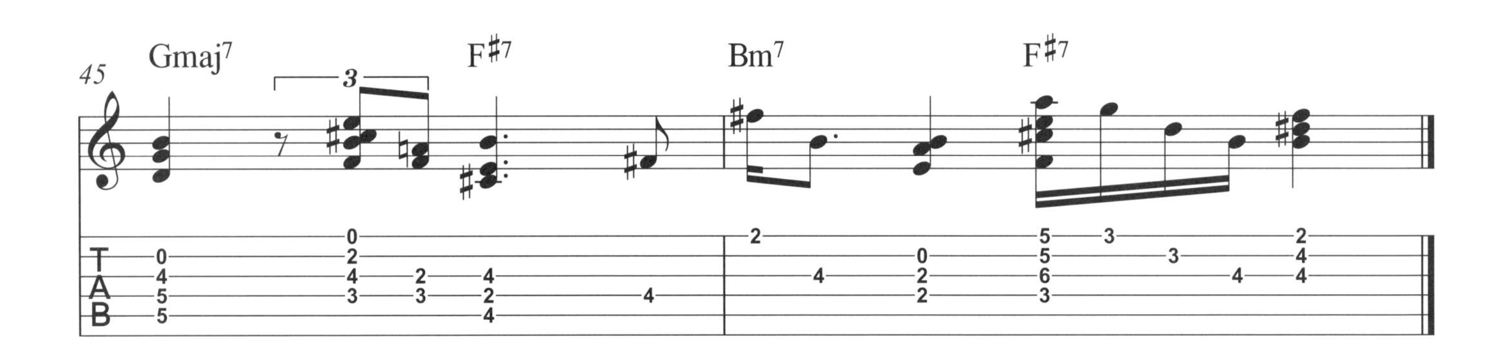
45
Gmaj7
F♯7
Bm7
F♯7
TAB

幅広いヴォキャブラリーをめざす
モダン・ジャズ・ギター・スタイル 《模範演奏CD付》
Modern Jazz Guitar Styles　*André Bush* 著

定価［本体3,500円＋税］

本書は、現代のジャズ・ギターにおける、ソロ・テクニック、コード・プレイング、リズミック・セオリー、それらの実用的な適用方法を探究しています。近年の有名なジャズ・ギタリスト、およびコンポーザーを取り上げ、伝統的なジャズの語法以外からどれほどさまざまなスタイルが彼らの作品に見られるかを研究します。

すべてのチャプターと課題には、特定のアーティストと、ある特定のテクニックやエフェクトの実例が多数織り込まれており、彼らのアルバムを聴く上での指針となるでしょう。また、すべてのチャプターで取り上げられる課題は、発生した起源やその歴史的背景を説明した短いエッセイで始まっているので、あなたがその課題を理解するためのよい手引きとなります。

付属CDにはそれぞれのエクササイズの例が収録され、本書を学ぶ上で非常に効果的です。

シングル・ラインの演奏を極める
ジャズ・ギター　ライン＆フレーズ《模範演奏CD付》
Complete Book of Jazz Guita Lines & Phrases　*Sid Jacobs* 著

定価［本体4,300円＋税］

私たちは模倣することによって、話し方を学びます。私たちは自分の考えを表現するために、すでに存在する言語を使います。すでに存在するイディオムからフレーズを用いて、連結させるという点において、インプロヴァイザーにとっても全く同じことが当てはまります。ラインを文章に、そしてインプロヴィゼイションを会話に置き換えれば、そのプロセスを理解しやすくなります。

単語をつなげてフレーズにしていると、その人が会話をするスタイルが形成されます。したがって、より多くのヴォキャブラリーをもっていれば、それだけ自分を表現する手段が備わっていることになります。それと同様に、プレイヤーの音楽的フレーズをつなげ方が、その人のインプロヴィゼイションのスタイルを形成し、そしてより多くのヴォキャブラリーをもっていれば、それだけ自分を表現する手段が備わっていることになるのです。ジャズ言語のイディオム的フレーズは、他の音楽のそれとは異なっています。本書では、譜例をとおして、ジャズのラインとフレーズを創るために使われるアイディアを解説します。

バリー・ハリス・メソッドに基づくビバップ・スタディ
トーク・ジャズ・ギター 《模範演奏/マイナス・ワンCD付》
Talk jazz Guitar　*Roni Ben-Hur* 著

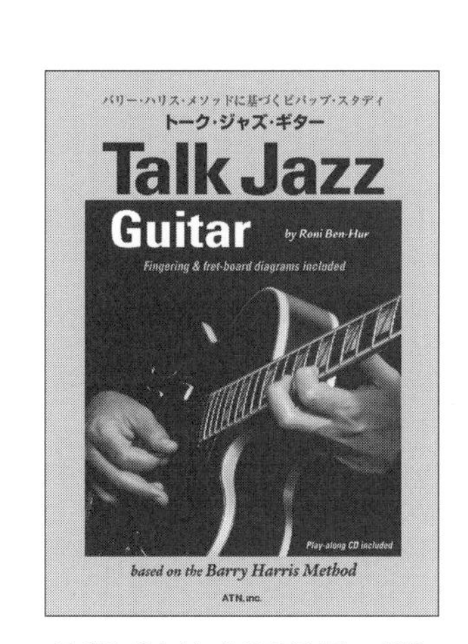

定価［本体4,000円＋税］

本書は、ビバップ・スタディにおける包括的なテキストで、ジャズ・インプロヴィゼイションの主要なツールとして、詳細な説明がなされています。本書には、あなたのテクニック、楽器の理解、ジャズ・メロディに対するフィーリングを向上するための、発展的な教材がたくさん含まれています。イン・テンポで練習すれば、リズム感がよりよく改善されるでしょう。ここにはすばらしいマテリアルが掲載され、そのすべては生きたジャズ・フレーズを基にしています。また、本書のどのパートも、ソロ・パートとして活用できます。

すべてのスタディにはフィンガリングとフレッドボード・ダイアグラムが掲載されています。また、付属の15トラックには、著者である*Roni Ben-Hur*と、NYで最もすばらしいリズム・セクションの1つである、*Tardo Hammer*(piano)、*Earl May*(bass)、*Leory Williams*(drums)の演奏が収録されています。 本書の課題をマスターするための、力強いツールとなることでしょう。

付属CDを聴き、彼らの演奏をよく理解し、その後でCDと一緒に練習しましょう。CDではギター・チャンネルを絞って、リズム・セクションだけで練習することもできます。

あなたのニーズと目的に合わせてチョイスできる　ギター・プライヴェート・レッスン・シリーズ

本シリーズは、*Jon Finn*、*Vic Juris*、*Steve Masakowski*、*Sid Jacobs*、*Mimi Fox*、*Ron Eschete*、*Barry Greene*、*Bruce Saunders*、*Mark Boling*、そしてジャズ・ラインの探求シリーズでおなじみ *Corey Christiansen* など、最高のプレイヤーやエデュケーターによって書かれた本とCDのセットです。

この**コンセプト徹底活用シリーズ**は、初心者から上級者までのミュージシャンが、さまざまな特定のコンセプトを消化しやすい形で伝授するということを可能にしてくれました。

定価[本体 2,500 円＋税]

豊かなハーモニーを生み出す
ジャズ・イントロ&エンディング《模範演奏 CD 付》

JAZZ INTROS AND ENDINGS　*Ron Eschete* 著・演奏

ジャズ・イントロ&エンディングは、さまざまなキーやスタイルの楽曲におけるイントロとエンディングを 60 例紹介しています。著者 *Ron Eschete* は *Ray Brown*、*Gene Harris*, *Ella Fitzgerald* をはじめとするビッグネームと共演するなど有名で、称賛されているギタリストです。ここでの豊かなハーモニーによるフレーズは、あなた自身のイントロやエンディングを生み出すうえで多くのすばらしいアイディアと理解をもたらすでしょう。譜面では 5 線譜に加えられたコード・ダイアグラムが学習の助けとなります。

定価[本体 2,500 円＋税]

ジャズ・コードとラインを活かすガイド・トーン
ザ・チェンジ《模範演奏 CD 付》

THE CHANGES: GUIDE TONES FOR JAZZ CHORDS, LINES & COMPING　*Sid Jacobs* 著・演奏

ザ・チェンジ は、フレットボード上でガイド・トーンを視覚化(頭の中で、指の細かな動きまで、具体的に思い浮かべること)するノウハウを提供するもので、ビギナーから上級者まで利用できる効果的なアプローチです。**視覚化されたシェイプ**を元に、ソロでのラインや、コンピングやコード・メロディのためのヴォイシングを創りだすことができます。

シンプルなアプローチこそが常にベストです。ガイド・トーンはプレイを容易にするだけでなく、コード・プログレッションを心地よく耳に伝えます。またガイド・トーンを装飾することは、バロックからビバップ、さらにその先の音楽に至るまで、ミュージシャンたちがインプロヴィゼイションにおいてコード・チェンジを行う際にずっと用いてきた手法です。

定価[本体 2,500 円＋税]

センスある伴奏テクニックを学ぶ
コンピング・コンセプト《模範演奏 CD 付》

CREATIVE COMPING CONCEPTS FOR JAZZ GUITAR　*Mark Boling* 著・演奏

コンピング・コンセプト は、6 つのコード・プログレッションにおけるコンピング・ヴォキャブラリーを発展させることによって、この状況を改善することを目指します。本書で使われるコード・プログレッションのモデルは、ブルース、リズム・チェンジ、マイナー・ブルース、モーダル・チューン、そしていくつかのスタンダードといった、ジャズ・イディオムにおいてもっともよく使われるものです。焦点は、リズム、フレージング、コード・ヴォイシング、ヴォイス・リーディング、コード・サブスティテューション、そしてリハーモナイゼーションに対するコンテンポラリーなアプローチを発展させることにあてています。本書で紹介するコンピング・コンセプト、リズム、そしてフレーズは、たくさんのさまざまな音楽的状況において適用されます。一度ヴォキャブラリーを習得すれば、**適切な時に、それらが自然に自分の中から出てくるようになる**でしょう。

定価 [本体 2,500 円＋税]

一歩進んだインプロヴァイジング・コンセプト
ジャズ・ペンタトニック《模範演奏 CD 付》

JAZZ PENTATONICS / ADVANCED IMPROVISING CONCEPTS FOR GUITAR　*Bruce Saunders* 著・演奏

本書**ジャズ・ペンタトニック**では、典型的なギター学習者特有の要求に対応しながら、より活発なハーモニーの動きにおけるペンタトニック・スケールとその使用方法にアプローチすることを試みます。したがって、まずいくつかの基本的なインフォメーションを紹介してから、さまざまなハーモニーの状況における特定のペンタトニック・スケールの使い方を提示します。静止したハーモニー上のペンタトニック・スケールの使い方についても簡単に探求しますが、ギターをピアノ、サクソフォン、またはトランペットと同じ土俵に上げ、**ペンタトニック・スケールとコード・チェンジの関係を研究することが、本書の中心的なテーマ**です。

定価[本体 2,500 円＋税]

一歩進んだインプロヴィゼイションのためのアイディア
上級ジャズ・ギター・インプロヴィゼイション《模範演奏 CD 付》

ADVANCED JAZZ GUITAR IMPROVISATION　*Barry Greene* 著・演奏

本書は中級から上級者のジャズ・ギタリストに向けて書かれています。コード・スケールとジャズ理論に関する、相応の知識をもっていることを前提としています。テーマとして、モード的な演奏、コード・サブスティテューション、ディミニッシュおよびメロディック・マイナー・スケール、そしてペンタトニックを取り上げます。

PRIVATE LESSONS

ブルース/ロック・インプロヴィゼイション《模範演奏CD付》

BLUES/ROCK IMPROV　*Jon Finn* 著・演奏

定価［本体2,500円＋税］

本書ブルース/ロック・インプロヴィゼイションでは、ブルース/ロックのソロ演奏に関する基本を紹介します。具体的には、基本的なリズム・ギター・パート、基本的なブルース・プログレッション、ターンアラウンド、ソロ・エクササイズ、そしてソロの演奏例を学びます。付属CDに収録されている曲は、重要な技術と考えられるものを強調するように工夫されています。

すばらしいブルース/ロックのソロは、２つか３つの簡単なコード上で演奏される、いくつかのシンプルなペンタトニック・ロック・リックにすぎません。多くのギタリストたちが、**あまりにも単純**なので、**時間をかけて練習する必要はない**という大きな誤解をしてしまいます。より注意深く聴いてみると、多くのブルース/ロックのソロには、共通する傾向があります。技術的には簡単に演奏できるが、課題は、自分自身のアイディアをもち、スタイルの傾向に従って、それを正確に実践し、そしてリスナーが注目するに値する情熱を込めることです。**簡素と簡単は同じではない**のです。

ロック/フュージョン・インプロヴァイジング《模範演奏CD付》

ROCK/FUSION IMPROVISING　*Carl Filipiak* 著・演奏

定価［本体2,500円＋税］

本書では、フュージョン特有の多くのコンセプトを取り上げ、解説します。これらのアイディアを自分の演奏に取り入れれば、プレイ・アロングCDに収録されている曲のみならず、その他のフュージョンやジャズの曲を演奏する上でも役に立つでしょう。

本書は、*Miles Davis*、*Mahavishunu Orchestrs*、*Weather Report*、*Tribal Teck*、*Mike Stern*、*Jeff Beck* など、ロックの要素を取り入れたスタイルを中心に書かれています。ロックやブルースの基礎に慣れていれば、ほとんどの譜例に適応できるはずです。ジャズに精通した人であれば、なおさら簡単に理解することができるでしょう。

ギターのための一歩進んだジャズ・ハーモニー

コルトレーン・チェンジ《模範演奏CD付》

COLTRANE CHANGES / APPLICATIONS OF ADVANCED JAZZ HARMONY FOR GUITAR　*Corey Christiansen* 著・演奏

定価［本体2,500円＋税］

偉大なジャズ・インプロヴァイザー、ジョン・コルトレーンは1960年に発表したアルバムGiant Stepsによって、その後のリハーモニゼイションの世界に大きな影響を与えました。本書では、難解とされるコルトレーン・チェンジ（コルトレーンのリハーモニゼイション）を基礎から分析、解説し、スタンダードやブルースのコンピングやソロに応用する方法を学びます。現在では、このコルトレーン・チェンジもジャズ・インプロヴィゼイションの基本的な手法になっています。これを機に、この難題にチャレンジしてみましょう。

ギターのための高度なブルース・リハーモナイゼイションとメロディック・アイディア

モダン・ブルース《模範演奏CD付》

MODERN BLUES / ADVANCED BLUES REHARMONIZATIONS & MELODIC IDEAS FOR GUITAR　*Bruce Saunders* 著・演奏

定価［本体2,500円＋税］

本書は、ブルース演奏におけるメロディックおよびハーモニックなヴォキャブラリーを発展させたい中級から上級のプレイヤーに最適です。ここではジャズで演奏されること多い、リハーモナイズされた12小節のブルースを取り上げ、チャーリー・パーカー、ジョン・コルトレーン、ジョー・ヘンダーソンなど、偉大なプレイヤーの手法を分析しています。付属のCDには模範演奏だけでなく、ドラム、アコースティック・ベース、ギターによる生演奏が収録。リズム・セクションと一緒に練習することができます。

ギターのための一歩進んだハーモニー

モダン・コード《模範演奏CD付》

MODERN CHORDS / ADVANCED HARMONY FOR GUITAR　*Vic Juris* 著・演奏

定価［本体2,500円＋税］

練習、応用、作曲は、実用的なコード・ヴォキャブラリーを発展させるための鍵となる３つの要素です。そして、それこそが、本書のテーマです。新しいコードを発見することは、この上ない喜びです。しかし、そのコードをヴォキャブラリーに加えることは、また別の話です。新しい単語を学んだら、それを毎日の会話で使わなければ、すぐに忘れてしまうでしょう。すなわち、それが練習であり、応用です。さらに、その新しい単語を使って記事やEメールを書くとしましょう。それが、ここで意味する作曲なのです。

主な内容

ハーモニック・シラバス、トライアド、トライアドの応用、ヴォイス・リーディング、スプレッド・トライアド、ヴォイシングの観察、スプレッド・トライアドを使用した作曲、複合トライアド、複合トライアドを使用した作曲、ビッグ・ファイブ、基本的な7thコード、インターヴァリック・ストラクチュアとモーダル・コード

定価［本体3,500円+税］

ジャズ・ギター/ブルース・ライン《模範演奏2CD付》

JAMMIN' THE BLUES

Frank Vignola 著・演奏

ファンキー、ブルージー、バップなどのさまざまなスタイルのブルース進行を32曲タップリとCD 2枚に収録。各曲は、2種類のテンポで録音されているので、スロー・テンポを使えばビギナーでもタブ譜を見ながら確実にマスターできる。

ジャズ・ギター/リズム・チェンジ《模範演奏2CD付》

RHYTHM CHANGES

Frank Vignola 著・演奏

ジャズにおいてブルース進行の次に最も多く使われるコード進行（I-vi-ii-V）であるリズム・チェンジをさまざまなキーで30曲タップリとCD 2枚に収録。リズム・チェンジに慣れておけば、どんな進行の曲に遭遇しても戸惑うことなくプレイできるでしょう。

定価［本体3,500円+税］

スタンダード進行で弾く ジャズ・ギター・ソロ《模範演奏CD付》

JAZZ SOLOS / IMPROVISED SOLOS OVER STANDARD PROGRESSIONS

Frank Vignola 著・演奏

有名なジャズ・スタンダードのコード進行上でのインプロヴィゼイション・ソロための練習素材。付属のCDでは、著者*Frank Vignola*によるギター・コンピングをバックグラウンドに、さまざまなスタイルのインプロヴァイジング・ソロの模範演奏を収録。

定価［本体2,800円+税］

J. S. バッハ・フォー・エレクトリック・ギター《模範演奏CD付》

J.S. BACH FOR ELECTRIC GUITAR

John Kiefer 著・演奏

J.S.バッハ　それは現代に至ってもなお、ミュージシャンにとって無縁でいられない偉大な存在
すべてのギタリスト必携のバッハ名曲集

- バッハの芸術を体験し、演奏テクニック（ライト・ハンド、ピックと指のコンビネーション、右手と左手のコンビネーションなど）、イヤー・トレーニング、フレージングなどの効果的な練習ができる
- イングヴェイ・マルムスティーン、ランディ・ローズ、リッチー・ブラックモアなども学んだバッハを弾いて、作曲やインプロヴィゼイションのスキル・アップをしよう
- ギタリストにとって、バッハはとっておきの練習材料になる
- 全曲TAB譜付

定価［本体2,500円+税］

ホールトーン・スケールで弾く

ジャズ・ギター・リックス《模範演奏CD付》

JAZZ GUITAR LICKS IN TABLATURE

Jay Umble 著・演奏

パット・マルティーノやスティーヴ・カーンも推薦する、本書ジャズ・ギター・リックスは、フレットボード に隠されたホールトーン・スケールの美しさを理解し、今までにないホールトーンのアイディアとその応用を紹介している。

- ドミナント7th$^{(\flat 5)}$とドミナント7th$^{(\sharp 5)}$のコード上で弾くといった、ホールトーン・スケールの今までの使い方から抜け出るには、モダンなインプロヴァイズへのまったく新しい道へ心を開くこと。本書では、インプロヴィゼイションの幅を拡げるのに役立つホールトーンのコンセプトをタップリ収録。
- ホールトーン・スケールは、全音だけでなり立つスケールで、そのため、フレットボード上で探すことが容易にできる。しかし、実際は均一で密集しているので、ギターでホールトーン・パターンを弾くのは時どき混乱することがある。本書はそんな悩みを一気に解決してくれる。
- 本書の焦点は、フュージョン・スタイルのインプロヴィゼイションに基礎を置いている。また、これらのフレーズは、スタンダード・チューンによくマッチする。
- 1小節から2小節の短いフレーズから始め、それをつなぎ合わせてオリジナルのリックを創る。
- CDには、本書に掲載の162例を限界まで収録（75分）。リックの宝庫として十分に活用できる。

定価［本体3,000円+税］

ジャズ・コード・コネクション・フォー・ギター《模範演奏CD付》

Jazz Chord Connection　*Dave Eastlee* 著・演奏

体系的なアプローチでフィンガーボード上のハーモニーを理解する

Dave Eastlee によるこのすばらしいCD付教則本は、知っておくべきジャズ・ギター・ヴォイシングを紹介するだけでなく、一般的なコード・プログレッションにおいてそれがどのように使われるかという理論的な解説をしている

56のデモ・トラックが収録されたCD ・ 一般的なフィンガリングとヴォイス・リーディング ・ 一般的なジャズ・コード・プログレッション ・ トライトーン・サブスティテューション、ターンアラウンド、ディミニッシュの法則 ・ その他の重要なジャズ・コンピングのヒント

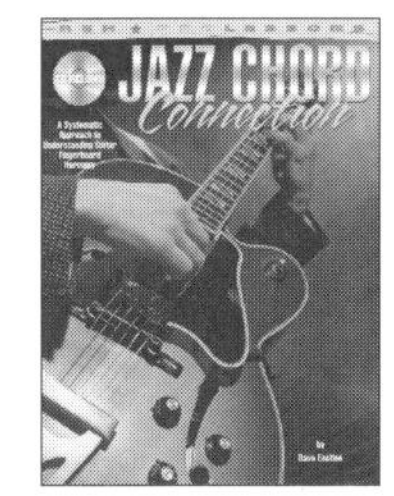

定価［本体2,200円＋税］

ジャズ・インプロヴィゼイション・フォー・ギター《模範演奏CD付》

Jazz Improvisation for Guitar　*Les Wise* 著・演奏

メロディックなソロをするための創造性に富んだサブスティテューションの原則

Les Wise によるこのすばらしい本とCDが、個々のスケールとアルペジオを継続性とリスナーの興味を保つメロディックなジャズ・ソロに変えてくれる！

付属CDには、35のデモ・トラックを収録 ・ テンションと解決 ・ メジャー・スケール、メロディック・マイナー・スケール、ハーモニック・マイナー・スケール ・ 一般的なリックとサブスティテューション・テクニック ・ オルタード・テンションを創る ・ 一般的な記譜とタブ譜

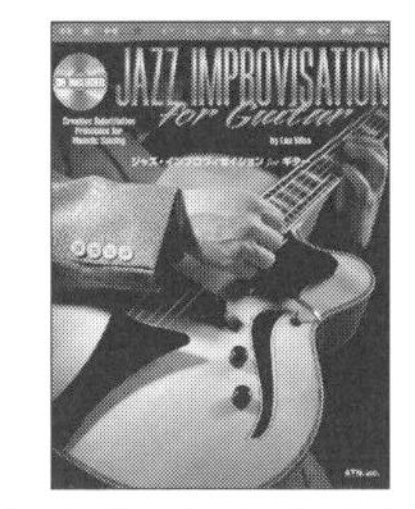

定価［本体2,200円＋税］

ジャズ/ロック・ソロ・フォー・ギター《模範演奏&プレイ・アロングCD付》

Jazz-Rock Solos for Guitar　*Norman Brown, Steve Freeman, Doug Perkins* 共著・演奏

達人たちのソロ・コンセプトを、このユニークなCD付きの本書で研究してみよう！

フル・バンドのデモ演奏とリズムのみのトラックを収録したCD ・ *John Abercrombie*、*George Benson*、*Larry Carlton*、*Robben Ford*、*Pat Metheny*、*John Scofield*、*Mike Stern*、*Berney Kessel*、*Wes Montgomery* のギター・スタイルをフレーズごとに解説 ・ トライアドを使ってインプロヴァイズする方法、ブルース・フュージョン、静止したコードやヴァンプのためのライン、アトモスフェリック・ジャズ、ダブル・ストップを使ったインプロヴィゼイション、他 ・ 一般的な記譜とタブ譜

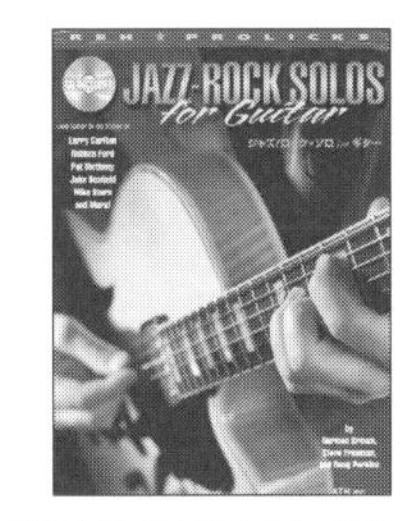

定価［本体2,200円＋税］

コード/メロディ・フレーズ・フォー・ギター《模範演奏CD付》

Chord-Melody Phrases for Guitar　*Ron Eschete* 著・演奏

Ron Eschete のすばらしいジャズ・フレーズでコード/メロディ・テクニックを広げよう！

39のデモ・トラックを収録したCD ・ コード・サブスティテューション（代理コード）・ クロマティック・ムーブメント・ コントラリー・モーション（反進行）・ ペダル・トーン・ インナー・ヴォイス・ムーヴメント（内声の動き）・ リハーモニゼイション・テクニック ・ 一般的な記譜とタブ譜

定価［本体2,200円＋税］

インターヴァリック・デザイン・フォー・ジャズ・ギター《模範演奏CD付》

Intervallic Designs for Jazz Guitar　*Joe Diorio* 著・演奏

ジャズ・グレイト Joe Diorio によるインプロヴィゼイションのための超モダンなサウンド

トーナリティを使用したデザイン ・ ダイアトニック・ハーモニーを使用したデザイン ・ ディミニッシュ・スケールを使用したデザイン ・ ドミナント・コードとオルタード・ドミナント・コードのためのデザイン ・ クロマティック・スケールを使用したデザイン ・ 慣例的なプログレションのためのデザイン ・ さまざまなハーモニック・アプリケーションを使用したデザイン ・ 完全5度音程を使用したデザイン ・ フリースタイル・インプロヴィゼイションのためのデザイン

定価［本体2,200円＋税］

ジャズ・ソロ・フォー・ギター《模範演奏CD付》

Jazz Solos for Guitar　*Les Wise* 著　*Les Wise* (guitar), *Craig Fisfer* (piano), *Joe Brencatto* (drums) 演奏

達人たちのソロ・コンセプトを、このユニークなCD付きの本書で研究してみよう！

フル・バンドのデモ演奏とリズムのみのトラックが収録されたCD ・ *Wes Montgomery*、*Johnny Smith*、*Jimmy Raney*、*Tal Farlow*、*Joe Pass*、*Herb Ellis*、*Jim Hall*、*Pat Martino*、*George Benson*、*Barney Kessel*、*Ed Bickert* のギター・スタイル ・ フレーズごとに演奏方法を解説 ・ アルペジオ・サブスティテューション、テンションと解決、ジャズ・ブルース、コード・ソロイング　他 ・ 一般的な記譜とタブ譜

定価［本体3,300円＋税］

ブルース・ソロ・フォー・ギター《模範演奏&プレイ・アロングCD付》

Blues Solos for Guitar　*Keith Wyatt* 著　*Keith Wyatt* (guitar), *Tim Emmons* (bass), *Jack Dukes* (drums) 演奏

達人たちのソロ・コンセプトを、このユニークなCD付きの本書で研究してみよう！

フル・バンドのデモ演奏とリズムのみのトラックが収録されたCD ・ *Albert King*、*Albert Collins*、*B.B. King*、*Jimi Hendrix*、*Eric Clapton*、*Stevie Ray Vaughan*、*Steve Cropper*、*Freddie King*、*Lonnie Mack*、*T-Bone Walker*、*Gatemouth Brown*、*Wayne Bennett*、*Pee Wee Crayton*、*Chuck Berry*、*Scotty Moore*、*Carl Perkins*、*Brian Setzer* のギター・スタイル ・ フレーズごとに演奏方法を解説 ・ ベンディング、ヴィブラート、トーン、ノート・セレクション（音の選択）、その他のヒント　他 ・ 一般的な記譜とタブ譜

定価［本体3,300円＋税］

Peter O'Mara 著 ギター・メソッド

中・上級のコンテンポラリー・ギタリスト必携!!

ジャズ・ギター コーダル・コンセプト

Peter O'Mara 著

定価［本体3,300円+税］

ジャズ・ギター・コーダル・コンセプトは、さらに上達を望んでいる進歩的なギタリストに、ギターのフィンガーボード上におけるコーダル・ストラクチャーに関する概要を提供するもので、ビギナー向けのものではありません。トライアドから始めて、7thおよび9thコードやクォータル、クラスター、スラッシュ・コード、それ以上のエクステンションを含んだコード、さらに代理コードの関係やスタンダードなコード・プログレッションにおけるさまざまな実践例へと進むことによって、コーダル・コンセプトを、単にシェイプ（形状）を記憶するということではなく、論理的に示すように工夫されています。

その他にも、クラシカルなオープン・トライアドの響きや、ユニークなインターヴァルの組み合わせなど、ＥＣＭ的なサウンドを好むギタリストやコード・ヴォイシングを発展させたい学習者に最適な教材といえます。

著者の*Peter O'Mara*は、長年のジャズ・ギターの演奏および指導の経験から、コードの学習についての結論を得ています。今日のギタリストが、本書をとおして、コンテンポラリー・ジャズで用いられている複雑なコーダル・ストラクチャーをより容易に学ぶことができます。

ジャズ・ギター・インプロ モーダル・コンセプト

《模範演奏／プレイ・アロング、オーディオ&MIDIファイルCD付》

Peter O'Mara 著・演奏

定価［本体3,500円+税］

ジャズ・ギター・コーダル・コンセプトを学び、さらにコンテンポラリーなジャズを習得したいギタリストにお勧めの１冊は、*Peter O'Mara* 著ジャズ・ギター・モーダル・コンセプトです。

ジャズ・ギター・モーダル・コンセプトの内容は、一般的によく見受けられるii-V-Iやビバップといった手法を用いずに、インターヴァル、トライアド、４ノート・ストラクチャー、５ノート・ストラクチャー（ペンタトニック・スケール）をはじめ、有益な練習エクササイズが多数含まれ、さらに14のモードとその応用が詳細に扱われ、現代的なインプロヴィゼイションをモードという視点から検討しています。ギタリストとして*O'Mara*は、左手のフィンガリングに関する新しいコンセプトも提示しています。

ジャズ・ギター・モーダル・コンセプトに付属されたCD-ROMには、プレイ・アロング・トラックに加え、MIDIファイルが含まれているので、コンピュータのシーケンサーを使ってさらに充実した練習ができます。

ジャズ・ギター・コーダル・コンセプトと**ジャズ・ギター・モーダル・コンセプト**の２冊を効果的に活用して、実践的な学習が可能です。

ファンク／フュージョン・スタイルのリズム・コンセプト　ギター

《模範演奏＆プレイ・アロング2CD／スタンダードMIDIファイル付》

Peter O'Mara 著　演奏：*Peter O'Mara* (Guitar), *Patrick Scales* (Bass), *Christian Lettner* (Drums)

定価［本体3,500円+税］

本書は、ファンク／フュージョン・スタイルのリズム・コンセプトについて、より深く学習できる教則本です。本書で紹介する16曲は、*Peter O'Mara*自身により、さまざまなファンク／フュージョン・スタイルのリズムを使って書かれています。付属のCDは、すべて実際のリズム・セクションの演奏をライヴ・レコーディングしているので、曲やスタイルの本質を最大限に提供しています。また収録曲は、ベース、ギター、ドラムス各巻共通ですので、付属のCDを活用し、互いの演奏を聴き合いながら効果的に練習することも可能です。

付属のCDには、プレイ・アロング用のオーディオ・トラックの他、サービス・トラックとしてスタンダードMIDIファイルが含まれています。シーケンス・ソフトのインストールされたコンピュータをもっている人は活用できます。スタンダードMIDIファイルを利用することで、リズムだけを使用したり、ハーモニーやテンポを変えたりして、プレイヤーの演奏レベルにあった音源を創ることもできます。

本書では、ファンク／フュージョン・シーンで使われるリズムをできる限り幅広く紹介しています。各曲のテーマ（メロディ）を演奏することは**チャレンジ**です！ リズム・セクションに合わせ、タイトに演奏する方法を学ぶことは非常に重要です。リズム・ギターのリフはグルーヴ全般にわたり演奏され、もちろんインプロヴィゼイションのためのスペースも十分にあります。

フィンガースタイル・ジャズ・ギター ウォーキング・ベース・テクニック《模範演奏CD付》

Fingerstyle Jazz Guitar / Teaching Your Guitar to Walk
Paul Musso 著

定価［本体3,000円＋税］

ジョー・パス、タック・アンドレス、マーティン・テイラーをはじめとする、ソロ・ギターの名手の得意技、ウォーキング・ベース・テクニックをマスターする。

- ベース・ラインとコードをブレンドして、ひとり2役を演じる、ジャズ・ギターのもっとも魅力的な奏法の基礎を学ぶ
- 初めてこの奏法にチャレンジする人にも、エクササイズを順に練習していくだけで、自然に、また確実に習得できるようにプログラムされている
- 豊富なエクササイズと練習曲を、TAB譜とCDで楽しくマスター
- ジャズ・ギタリストでないあなたにも、効果的に応用できる

スーパー・ギタリストから学ぶ リズム・ギター／リックス《模範演奏CD付》

Masters of Rhythm Guitar
Joachim Vogel 著

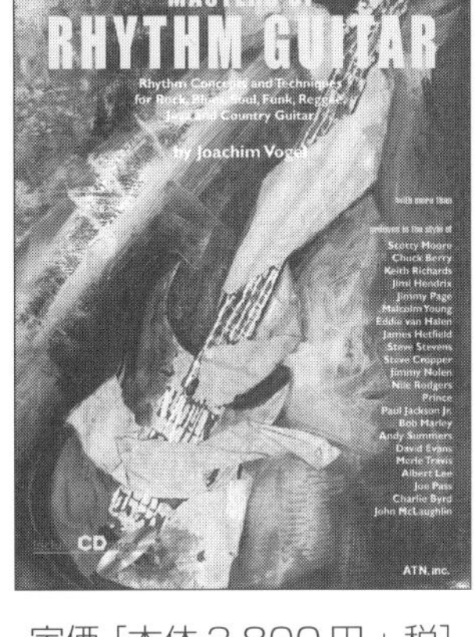

定価［本体3,800円＋税］

本書は、現代のギタリストたちの本当の意味での手本となる、またはルーツとなる、優れたリズム・ワークを創り出したプレイヤーのテクニックとセンスを満載したリック集です。

ジャンルを越えた22人のスーパー・ギタリスト／それぞれ10のリックを収録（全240例）。

【掲載ギタリスト】

Chuck Berry／Charlie Byrd／Steve Cropper／David "The Edge" Evans／Jimi Hendrix／James Hetfield／Paul Jackson Jr.／Albert Lee／Bob Marley／John Mclaughlin／Scotty Moore／Jimmy Nolen／Jimmy Page／Joe Pass／Prince／Keith Richards／Nile Rodgers／Steve Stevens／Andy Summers／Marle Travis／Eddie Van Halen／Malcom Young

模範演奏は著者による演奏で、オリジナル・アーティストの演奏ではありません

スムースにクリエイティヴにコード・チェンジを演奏する ヴォイス・リーディング・フォー・ギター《模範演奏CD付》

John Thomas 著　*John Thomas* (guitar, bass)、*Tom Garner* (drums) 演奏

定価［本体4,000円＋税］

本書では、もっとも重要なジャズ・ギター・スキルの1つであるヴォイス・リーディングを紹介しまています。これによって、ある1つのコードから次のコードをスムースかつクリエイティヴに得るための、ハーモニックおよびリズミックの両方の手法を学ぶことができます。

本書のエクササイズ（練習）を習得できるまで慎重に練習することによって、重要なヴォイス・リーディングのテクニックを自分のものにして、自在に操ることができるようになり、そして卓越した音楽的ヴォキャブラリーの基礎を身につけることができます。最終的には、あなたに自由に創造する力を与えてくれます。それは、自分の頭の中に聞こえる音楽を、苦もなく演奏する手段を手に入れることになるからです。

本書の主な内容

CHAPTER 1：ハーモニー概論とヴォイス・リーディング入門
CHAPTER 2：メジャー II/V/I プログレッション
CHAPTER 3：メジャー II/V/I プログレッション
CHAPTER 4：練習曲とリズム
CHAPTER 5：アドヴァンス・プログレッションとターンアラウンド
Appendix：モードとコード・スケール

guitar – *Jack Pezanelli*

定価［本体 2,800 円＋税］

耳を使ってジャズの基本をプレイする
ブルース・エチュード　ギター（C）

Fred Lipsius 著　　《模範演奏＆プレイ・アロング CD 付》

すべてのエチュードはブルース・プログレッションに基づいており、各楽器に最適なレンジで創られています。比較的簡単なキー、さまざまなリズム・スタイル、ゆったりしたミディアム以下のテンポを採用しているため、幅広い層のプレイヤーが楽しんで使用できます。

中級レヴェルのプレイヤーには初見での譜読み練習に最適な内容で、本書の特徴は**ジャズ・ソロイングとはどのようなものなのか？**を学ぶために最適なツールとなっていることです。

付属 CD は本物のジャズ・ミュージシャンたち（主にバークリー音楽大学の教授陣）が演奏しており、全曲の模範演奏トラックとプレイ・アロングの２トラックが収録されています。この CD を聴けば、楽譜だけではわからない微妙なフレージングのニュアンスなどもすぐにわかります。

本書の使い方
- 楽譜を読んで演奏する（初見の練習をする）
- プレイ・アロング・トラックで楽譜のラインを演奏し、細かいニュアンスまで模範演奏と同じになるように真似する
- 最初に CD の演奏をトランスクライブして、後で楽譜と照らし合わせてイヤー・トレーニングにも使える
- プレイ・アロング・トラックであなた自身のオリジナル・フレーズを試す

本書に収録されているフレーズやフレージングをマスターできたならば、それらはブルース以外のジャズ・フォームにおいてもあなたのヴォキャブラリーとして役立ちます。これからジャズ・フレージングやインプロヴィゼイションを学ぼうとするすべてのギター・プレイヤーにお勧めの１冊です。

guitar – *Jack Pezanelli*

定価［本体 3,000 円＋税］

リズム・フィギュアを読むジャズ・エチュード
リーディング・キー・ジャズ・リズム　ギター

Fred Lipsius 著　　《模範演奏＆プレイ・アロング CD 付》

リーディング・キー・ジャズ・リズムは、初級から中級者レベルのジャズ・エチュード 24 曲で構成されています。これらは、ジャズ語法の基礎、スウィング・フレージング、アーティキュレーションの学習のために理想的なものです。ジャズ・アンサンブル、およびジャズ関連の音楽を演奏するあらゆるアンサンブルやオーケストラのための導入教材として最適です。

付属 CD には、それぞれの楽器のソロイストによる 24 曲のメロディアスなジャズ・エチュードの模範演奏（左右の手をステレオで分離したトラック）と、ベースとドラムスによるプレイ・アロング・トラック（カラオケ）が収録されています。

各エチュードは、特定のリズム、またはリズミック・フィギュアの組み合わせに基づいています。エチュードの中には非常にリリカルなジャズ・インプロヴィゼイション・ソロのようなサウンドやスタンダードのメロディのようなものもあります。

エチュードはすべて、ジャズ・ミュージシャンの日常語となっているジャズ・チューンや、メジャーとマイナーのブルース、およびリズム・チェンジ（I Got Rhythm のコード進行）に基づいたものです。コード・シンボルを活用して、プレイ・アロング・トラックに合わせてインプロヴァイズすることもできるように組み立てられています。

guitar – *Zé Paulo Becker*

定価［本体 3,300 円＋税］

本物の音楽スタイルとリズムを学べる
ブラジリアン＆アフロ・キューバン・ジャズ・コンセプション　ギター

FernandoBrandão 著　　《模範演奏＆プレイ・アロング CD 付》

数々の賞に輝くブラジル人フルート・プレイヤー *FernandoBrandão* によって書かれたブラジリアン＆アフロ・キューバン・ジャズ・コンセプションは、アルト／バリトン、テナー／ソプラノ、フルート、トランペット、トロンボーン、ギター、ピアノ、クラリネットの全８巻からなるシリーズです。それぞれの巻は、ブラジリアンやアフロ・キューバンのさまざまなスタイルに基づく 15 曲のオリジナル・チューンから構成されている、非常にエキサイティングなプレイ・アロング教材です。

このシリーズは、プレイ・アロング CD が付いている単なる曲集とは明らかに異なり、１曲をとおしてのアナライズや曲を演奏するために必要なエクササイズが、各曲ごとに提示されています。

付属 CD では、現代のブラジリアン・ミュージック界でも屈指のリズム・セクションおよびソロイストをフィーチュアしています。本シリーズは、曲のリード・シートが読める程度の読譜力、およびそれが演奏できる程度の楽器演奏スキルを習得しているプレイヤーが対象となります。

Jazz Conception Study Guide
ジャズ・コンセプション・スタディー・ガイド　ギター《模範演奏／プレイ・アロング CD付》

Jim Snidero 著　　演奏：*Joe Cohn* (Guitar), *Mike LeDonne* (Piano), *Dennis Irwin* (Bass), *Kenny Washington* (Drums)

ジャズ・コンセプション・スタディー・ガイド・シリーズは、すべてのレベルのプレイヤーを対象とした、ジャズの言語を学ぶための画期的な教則本です。各教本とCDセットには、スタンダードのコード進行およびブルースに基づいたソロ・エチュードが含まれています。

ジャズで使用される主な楽器に合わせて、同じエチュードが移調、編集されています。著名なソロイストのフレージングやアーティキュレーションを目と耳で学び、CDに合わせ、ソロイストとともに、またはリズム・セクションと一緒に演奏しましょう。

本書（ギター）に付属のCDには、ギタリスト *Joe Cohn* の模範演奏が収録されています。リズム・セクションといっしょに練習する場合は、バランスを左に回し、*Joe Cohn* の演奏を消して使いましょう。

本シリーズをとおして、リズム・セクションはすべて *Mike LeDonne* (Piano), *ðennis Irwinn* (Bass), *Kenny Washington* (Drums)が演奏しています。

soloist ***Joe Cohn***

定価［本体3,800円＋税］

Intermediate Jazz Conception Study Guide
インターミディエイト・ジャズ・コンセプション・スタディー・ガイド　ギター《模範演奏&プレイ・アロング CD付》

Jim Snidero 著　　演奏：*Joe Cohn* (Guitar), *Dave Hazeltine* (Piano), *Peter Washington* (Bass), *Kenny Washington* (Drums)

インターミディエイト・ジャズ・コンセプションは、*Jim Snidero* が執筆した優れたジャズ・エチュード・ブックのシリーズ、**イージー・ジャズ・コンセプション**と**ジャズ・コンセプション**の中間レベルのシリーズです。この２つのシリーズと同様、それぞれの楽器において付属CDで演奏しているソロイストには、世界でもっともすばらしいミュージシャンたちをフィーチャーしています。

本書はCDと本のセットで、スタンダード、モーダル・チューン、ブルースをベースにした15のエチュードを掲載しています。伴奏は *Dave Hazeltine*(pf)、*Peter Washington*(bs)、*Kenny Washington*(ds)による、最高にスウィングするリズム・セクションです。本書の巻末には、スタイルとインプロヴィゼイションに焦点をあてたAppendix、スケールの概要、インプロヴィゼイションの学習に役立つ95ものラインとアイディアが掲載されています。

付属のCDには、２つの異なるヴァージョンがレコーディングされています。１つはソロイストとリズム・セクションによる模範演奏、もう１つはリズム・セクションのみのマイナス・ワン・ヴァージョンです。ソロイストがエチュードをどのように演奏しているかを聴き、CDと一緒にソロイストの演奏ありで、またはなしで演奏してみましょう。すばらしいジャズ・スタイルとインプロヴィゼイションの両方を学びましょう。

soloist ***Joe Cohn***

定価［本体3,300円＋税］

Easy Jazz Conception Study Guide
イージー・ジャズ・コンセプション・スタディー・ガイド　ギター《模範演奏&プレイ・アロング CD付》

Jim Snidero 著　　演奏：*Joe Cohn* (Guitar), *Mike LeDonne* (Piano), *Peter Washington* (Bass), *Kenny Washington* (Drums)

イージー・ジャズ・コンセプション・スタディー・ガイド・シリーズは、スタンダードなコード進行とブルースに基づいた15曲のソロ・エチュード集で、ジャズ的な表現の経験が少ないビギナーを対象に、ジャズ・スタイルの基本を身につけることができるように工夫されています。

イージー・ジャズ・コンセプション・スタディー・ガイド・シリーズは、いずれも同じ15曲のエチュードを収録した７種類の楽器の各編と、リズム・セクションを担うピアノ、ベース、ドラムスの３つのパートからなる、全10冊のシリーズです。各ヴァージョンは、それぞれの楽器に適合するキーに移調された楽譜と、模範演奏とプレイ・アロングの２つのトラックが収められたCDのセットが用意されています。単一の楽器のためのエチュードとしてプレイすることはもちろん、７種類の楽器のどの組み合わせでも、アンサンブルで、また、リズム・セクションと一緒にプレイすることが可能です。

ギターの本に付属のCDには、グルーヴィーなニューヨークのリズム・セクション（*Mike LeDonne*：Piano, *Peter Washington*：Bass, *Kenny Washington*：Drums）をバックに、ニューヨークを本拠地に活躍している *Joe Cohn* の模範演奏が収録されています。

soloist ***Joe Cohn***

定価［本体3,000円＋税］

コンテンポラリー・ジャズ・ギターのサウンドを探る

カート・ローゼンウィンケル オリジナル曲集 《リード・シート＆タブ譜付》

Kurt Rosenwinkel 著

定価［本体3,300円＋税］

本書は、作曲と演奏の両面で独自のスタイルを築き上げ、現在のジャズ・ギター界を代表するプレイヤーへと成長した *Kurt Rosenwinkel* のオリジナル曲集です。

ここ 15 年間に発表された *Kurt* のアルバムから、14 曲分のリード・シートを収録し、そのうち最新作の Deep Song から選ばれた 7 曲では、タブ譜つきのソロ・トランスクリプション も収録されています。

コンポジション、コード・ヴォイシング、インプロヴィゼイションなどにおける *Kurt* ならではのエッセンスが満載です。*Kurt* ファンならずとも、コンテンポラリー・ジャズに興味がある、またはビバップ以降のサウンドを研究したいプレイヤー必読の１冊です。

掲載曲

Deep Song より
- *brooklyn sometimes*
- *cake*
- *the cloister*
- *the cross*
- *gesture*
- *synthetics*
- *use of light*

The Next Step より
- *a shifting design*
- *minor bluse*
- *zhivago*
- *path of the heart*

The Enemies of Energy より
- *cubism*

East Coast Love Affair より
- *east coast love affair*

Heartcore より
- *our secret world*

ランディ・ジョンストン ソウル・ジャズ・ギター 《模範演奏CD＆タブ譜付》

Randy Johnston 著・演奏

定価［本体3,300円＋税］

本書 **ソウル・ジャズ・ギター** は、特に中級の学習者のために用意された *Randy Johnston* の曲とソロのコレクションです。

単に彼の CD からソロを採譜しただけではなく、学習者にとっての使いやすさを念頭に置き、あまり無理のないテンポで演奏しています。"Downtime" "The Philadelphians" "Rolling at the Summit" は、一般に発売されている *Randy* の CD にも入っていますが、ここに収録されているのは、このプロジェクトのために新しく録音された、まったく独自のバージョンです。

また、おなじみのスタンダード曲の進行を用いたインプロヴィゼイションも収録しています。ジャムセッションなどでこれらの曲をやることになった時に役立つことでしょう。

掲載曲

Down Time, It Couldn't Happen to Me, Killer Jane, Medium Tempo Blues, Minor Blues, olkadots, Rolling at the Summit, Slow Blues, Soul Air, Speak High, The Philadelphians, Tune Down

マイク・スターン 究極のセッション 《模範演奏＆プレイ・アロング2CD付》

Ultimate Play-Along for Guitar

Mike Stern 著　演奏：*Mike Stern* (Guitar), *John Patitucci* (Bass), *Dave Weckl* (Drums)

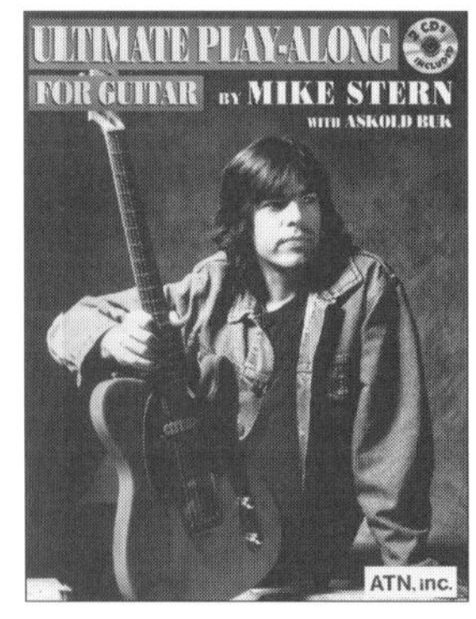

定価［本体4,300円＋税］

いちばん良い練習方法は、**楽しみながら学ぶ**ことです。本書の目的は、まさにここにあります。すべての偉大なミュージシャンはレコードに合わせて演奏することで勉強してきました。本書**究極のセッション／マイク・スターン**を使用すれば、まるでバンドのメンバーの１人になったように、すばらしいレコーディングに合わせて練習することができます。すべての収録曲には、*Mike Stern* のギターを省いたプレイ・アロング・トラックを用意してあるからです。もちろん *Mike Stern* がプレイする**模範演奏トラック**も聴くことができます。

究極のセッション／マイク・スターンは、ビギナーから上級者にいたる幅広い層のプレイヤーが、*Mike Stern* (Guitar)、*John Patitucci* (Bass)、*Dave Weckl* (Drums)をはじめとするオールスター・ミュージシャンと一緒に、さまざまなスタイルを練習することができるように作られています（本書と同じ内容の**究極のセッション ベース編②**と**ドラムス編②**は、**直輸入版・日本語翻訳解説書付**で取扱中。詳しくは ATN ホームページにてお問い合わせください）。

本書には、２枚の CD が付属しています。Disc 1 には、すべてのリズム・トラックに加えて、マイクのギターのメロディとソロが収録されており、Disc 2 には、ギターを抜いたリズム・トラックのみが収録されています。

収録されている７曲には、さまざまなスタイルを幅広くカヴァーしています。
Straight Eighths、Shuffle (Blues)、Sixteenth-Note Feel、Hip-Hop (Jazz-Funk)、Pop Ballad、Reggae、Rock

デイヴ・ストライカー
ジャズ・ギター・インプロヴィゼイション・メソッド

Dave Stryker 著・演奏

《模範演奏&プレイ・アロングCD／タブ譜付》

定価［本体3,300円+税］

Grant Green、*Wes Montgomery*、*Pat Martino*、*George Benson*、*Jim Hall*、*Joe Pass* など、ジャズ・ギターの巨匠たちに影響を受けた、ニューヨークを中心に活躍するジャズ・ギタリスト *Dave Stryker* によるインプロヴィゼイションのためのジャズ・ギター・メソッドです。

本書の内容は、ここ数年間 *Dave Stryker* が自らのレッスンで用いている方法で、彼の生徒たちがジャズを演奏するときにインプロヴィゼイションのアイディアを発展させるための助けとなっています。各アイディアを、ブルース、Autumn Leaves、リズム・チェンジなどのスタンダードなコード・チェンジ上でどのように用いるかを解説し、実践しています。

本書に収録されているフレーズやソロ・アイデイアは、すべて *Dave* 自身のフィンガリングが指定されています。これによって、彼がそれぞれのコードに対してどのようなフィンガリングをしているか、またポジション移動はどのように行っているかがよく分かり、コード・トーンへのアプローチなどが視覚的に理解できます。

本書は、他の本に書かれているようなスケール／アルペジオ練習のような内容は最小限に留め、*Dave* のウォームアップ・フレーズやバップ・フレーズ、Giant Steps などの難曲を使った例題も収録されています。ビバップを中心に学びたいギタリストには特にお勧めです！

ヴィック・ジュリス　インサイド／アウトサイド

Vic Juris 著・演奏

《模範演奏&プレイ・アロングCD／タブ譜付》

定価［本体3,300円+税］

本書は、*David Liebman* のグループでも活躍したギタリストで、ギター・プライヴェート・レッスン・シリーズの「ギターのための一歩進んだハーモニー **モダン・コード**」の著者でもある *Vic Juris* によるソロ・トランスクリプションです。

収録された曲はすべて、人気のあるジャズ・スタンダードのコード・チェンジに基づいています。また、*Vic* は、学習者を念頭においてソロを弾いているので、ジャズ・インプロヴィゼイションやテクニックを学ぶためのエチュードとしても有効です。

学習者は、本書を注意深く学ぶことで、ソロの組み立て方、テンションとリリース（アウトサイドとインサイド）の演奏、高度なジャズ・ヴォキャブラリーの構築、モティーフの展開などを理解することができます。また、ソロを丸ごと覚えるだけでなく、好きなフレーズを部分的に抜き出し、すべてのキーに移調し、他の曲に応用できます。

付属のCDには、各曲に2トラックずつ収録されており、1つは本書の楽譜どおりに弾いた *Vic* のソロとリズム・セクション、もう1つはリズム・セクションのみです。まず、*Vic* のソロに合わせ演奏し、フレージングとアーティキュレイションを学びます。次に、リズム・セクションのみのトラックを使って、*Vic* のソロを再現します。それから、*Vic* のソロを参考に、自分自身のソロに挑戦します。
中級レヴェル以上で、コンテンポラリー・スタイルのジャズ・ギターに興味のある方にお勧めです。

通信販売商品

CD
DAVE STRYKER
big city

Big City
All Night Long
Feelin' Good
Every Time We Say Goodbye
It Was a Very Good Year
If Ever I Would Leave You
Biddy Fleet

CD
VIC JURIS
A SECOND LOOK

A Second Look
Barney K.
So in Love
All The Things You Are
Shades of Jazz
Very Early
Little Brian
Table for One
Dizzy, Trane and You
Indian Summer

翻訳者　**イシイタカユキ**

ボストンのバークリー音楽大学、ニューイングランド音楽院にて、*Wayne Krantz*(g)、*Maria Schneider*(arr)、タイガー大越(tp)、*Bob Brookmeyer*(tb、arr)等に師事、*Lage Lund*(g)、*Jeremy Pelt*(tp)、*Jaleel Shaw*(as)、*Lionel Loueke*(g)等とセッションを重ねる。帰国後は関東を中心に、ジャズクラブ、ジャズフェスティバルにて演奏活動し、小沼ようすけ(g)、市野元彦(g)等と共演。またジャズ以外にも、永山マキ、モダーン今夜、COMA-CHI、YOUNGSHIM等のレコーディングやツアー、CM作編曲、レコーディング等、多数参加。現在は『モダーン今夜』のギタリストとしての活動と並行して、ギター講師、スタジオ・レコーディング、アレンジャー、また、ATNのスーパーヴァイザーとしても活動中。

ATN, inc.

カート・ローゼンウィンケル
イースト・コースト・ラヴ・アフェア
ギター・ソロ・トランスクリプション

Kurt Rosenwinkel trio
East Coast Love Affair
Guitar Transcriptions

発 行 日　2011年 1月10日(初版)
著　　者　Brandon Bernstein and Matthew Warnock
翻　　訳　石井 貴之
楽譜校正　石井 貴之
発行・発売　株式会社 エー・ティー・エヌ
© 2011 by ATN,inc.
住　　所　〒161-0033
東京都新宿区下落合 3-12-21 目白エミネンス102
TEL 03-6908-3692 / FAX 03-6908-3694
ホーム・ページ　http://www.atn-inc.jp
3543

ISBN978-4-7549-3543-6